樋口直人
Higuchi Naoto
松谷 満
Matsutani Mitsuru
編著

筑摩選書

3・11後の社会運動

8万人のデータから分かったこと

3・11後の社会運動　目次

3・11後の社会運動

8万人のデータから分かったこと

はじめに

樋口直人・松谷満

七〇年安保前後に生まれた編者らにとって、「〇〇反対!」と叫ぶ大勢の群衆は、過去の映像でみるものでしかなかった。歴史的にみれば、日本は決して社会運動が弱い国ではなく[1]、抗議活動は戦後ほぼ一貫して増加基調にあったが、一九七〇年を境に退潮していった[2]。

ISSPという国際比較調査(二〇一三年実施)によると、スペインやフランスでは五割弱がデモに参加したことがあるのに対して、日本では七%にとどまる。デモ経験者の比率でいうと、日本は三四カ国中三二位(過去一年のデモ参加比率は最下位)だった。日本は世界的にみても社会運動が非常に弱い国になったのである。

そんな「デモを知らない世代」である私たちが目にしたのは、東日本大震災以降の大規模デモの波だった。社会運動の研究者でありながら、私たちは日本でこれほど大規模なデモが発生するとは思ってもみなかった。二〇一五年の反安保法制デモの盛り上がりを受けて、大きな書店には社会運動関連書籍のコーナーが設けられるようになった。しかし、三・一一後の事態に対して日本の社会運動研究者の動きは鈍く、社会的な関心の高まりに見合った研究ができていなかった。[3]この歴史的出来事を前に、研究者は何をしているのだ！などと格好つけるまでもなく、ただ単純に私たちは知りたかったのである。「四〇年の空白を経て、どうして大きなデモが実現したのか」ということを。

私たちは、二〇一七年に首都圏住民を対象としたインターネット調査を実施した。回答者約八万人のうち、一四一二人が三・一一後の反原発デモか反安保法制デモに参加していた（補遺参照）。このデータから、三・一一後の社会運動がなぜ発生し持続したのか、どのような特徴があったのか、後世に何を遺したのかを明らかにすること。それが、この本の目的である。

*

私たちは、この貴重な調査結果を研究者だけでなく、広く一般読者にも知ってもらいたいと考えた。確かに関連書は少なくないが、社会運動研究の専門家による、調査にもとづいた知見はほとんどない。もちろん、専門家の調査のみにこだわる必要はないのだが、調査研究でしか明らかにできないことも多々ある。以下、具体的に示していこう。

なぜ、原発に反対する大規模デモが生じたのだろうか。「あれだけの事故があったのだから、当たり前ではないか」と思われる方も多いだろう。デモの現場に行って話を聞けば、そこにいる人は放射能への不安や不満が参加動機だというだろう。しかし、研究者から見ると、ことはそう単純ではない。「不安や恐怖だけではデモの発生を説明できない」というのが、むしろ研究上の定説なのである。

よく考えてみよう。不安にかられた人間はまず何をするだろうか。原発事故であれば、情報を集め、食べ物や飲み水に気をつけ、場合によっては避難するのではないか。このように、脅威がただちに抗議行動を生み出すとはかぎらない。

実際に、デモが毎週二〇万人を集めるまでに拡大したのは、事故から一年以上経った、二〇一二年七月のことである。[4] その頃は原発事故に関する報道量もピーク時（二〇一一年四月）の三割程度まで低下していた。もちろん、震災一カ月後から一五〇〇〇人を集めるデモが行われていたし、放射能への不安が人を運動に駆り立てたという側面があるのは否定できない。ただ、それだけでは人間は動かないし、大規模なデモは発生しない。不安に加えて、過去の運動経験、政治に対する不信感、もともとの政治的な価値観、人から人へのはたらきかけ、テレビやインターネットでの情報拡散といった無数の要素が組み合わさって大きな運動となるのである。そして、どの要素が大きな意味をもったのかについては、調査をしてみないとわからない。

＊

安保法制に反対する運動でも、二〇一五年には数万人規模の抗議行動が数カ月持続し、ピーク時の八月には一〇万人以上が国会議事堂を取り囲んだ。政治に対する怒り、「平和」が脅かされることへの不安があったことは想像に難くない。ただ、それだけでは人間は動かない。結論を先取りするならば、反原発運動を多くの人々が経験したことそのものが、次の大規模な運動を生み出したのである。
デモは、反対の意を目に見える形で示すと同時に、見る人に対して抗議の方法を教える役割も果たす。単身で抗議する自分を想像するのは難しいが、多くの人が集うデモに加わることならできそうだ――。今ここで発生するデモは、参加者にとっては怒りを表現する方法を学び、デモをみる人たちにも教えるものである。反原発デモは、日本社会が久しく忘れていたデモという方法を思い出させることで、反安保法制デモの生みの親になったといってもよい。

　そうした変化を体現するのが、反安保法制運動のアイコンとなったＳＥＡＬＤｓ（自由と民主主義のための学生緊急行動）をはじめとする若者グループである。二〇一五年に大学生だった人の多くは、反原発デモのピーク時には高校生で、デモに参加しないまでも日本で盛り上がりを見せたデモの目撃者となっていた。この経験が、二〇一三～一四年の秘密保護法反対の運動を経て、反安保法制運動につながったことは、当事者たちの証言からも見てとれる。[5]

　反原発から反安保法制に至るような社会運動の持続的な波を、社会運動研究者は抗議サイクルと呼ぶ。[6]このサイクルを先導する運動の立ち上げは容易ではないが、原発事故のショックが初期のエネルギーを供給した。後続の運動にとっては、先導する運動が開いた機会を利用することで参入が容易になり、抗議の波は広がっていく。このような教科書的な理解通りに、反原発から反安保法制へと抗議は持続していった。

＊

このように、過去の研究の積み重ねにもとづいて、専門家ならではの知見を導き出すことができるが、現実はその予想を裏切ることもある。私たちは反原発運動と反安保法制運動の担い手にはそれぞれの特徴があると考えていた。たとえば、反原発運動は事故を目の当たりにした人たちがイデオロギーを超えて集い、反安保法制運動は「革新」陣営の組織動員が中心となっていたのではないか、と。これは教科書的な理解だったが、それが必ずしも当たらないことを調査データが明らかにしている。実際のところ、どうであったかはぜひ本文をみていただきたい（第1章、第2章）。

私たちは、複雑な現象を一面的に捉えるという過ちをときに犯す。たとえば、反原発や反安保法制運動は若者が意識的に追求した「かっこいいデモ」に象徴されると考えるかもしれない。一方で、昔取った杵柄とばかりにデモに馳せ参じる「シニア左翼[7]」の思い出作りに過ぎなかったと考えるかもしれない。しかし、当たり前のことだが、若者の中にも多様な思いや背景があり（第3章）、高齢の参加者にも多様な思いや背景があった。世代の違いだけではない。女性には男性と異なる背景があったし（第5章）、身近な人と連れ立って参加した人も、一人きりで参加した人もいた（第4章）。このような複雑なあり方を、この調査から知ることができた。この本には、参加者の率直な「声」も数多く紹介している。こうした「声」にもぜひ耳を傾けていただきたい。

*

海外に目を転じよう。原発事故から半月後、ドイツでは二五万人が参加する反原発デモがあった。[8] ヨーロッパ九カ国を対象とした調査では、一〇人に一人を超える人たちがリーマンショック後の緊縮財政に抗議するデモに参加していた。[9]

二〇一〇年代に多くの人を動かしたデモは、ヨーロッパにとどまらない。アメリカの社会的格差に抗議するオキュパイ運動、台湾のひまわり運動、香港の民主化デモのほか、チュニジアやエジプトのアラブの春、韓国のろうそくデモのように、政権を退陣に追い込んだデモさえある。

それに比べると、反原発・反安保法制デモがいくら大規模だったとはいえ、国際的にみると依然としてその参加率は低い水準にとどまっている。それゆえ、「なぜデモが復活したのか」と同時に、「なぜもっとデモが拡大しなかったのか」も問われねばならない。そのために、この本ではデモに参加しなかった人たちの分析も試みた（第6章）。

詳しくは本文をみていただきたいが、デモの規模に限界があった背景には、デモという行為に対するネガティブな感情があった。こう書くと、一九七〇年代に学生運動が過激化して凄惨な内ゲバを引き起こしたことが、運動に対するトラウマを植え付けたのだと思われるかもしれない。しかし、現在の「運動嫌い」を、半世紀近く前の出来事で説明するのは無理がある。実際には、日本にデモが少ないことそのものが、デモという手段を忘れさせ、デモに訴えようという想像力を奪っていたのではないだろうか。

＊

私たちにはもう一つの疑問があった。デモの復活は、原発事故という非常事態が生み出した例外でしかないのだろうか。それとも、今後の社会運動のあり方を予示するような広がりを持つのだろうか。

この点に関して私たちが驚いたのは、デモに参加すること自体の効果である。原発事故は、大規模デモが絶えて久しい日本でデモを復活させたが、参加者の多くはそれ以前にデモに行った経験のある人たちだった。つまり、原発事故という事態にあっても、デモを可能にしたのは、それまでのデモの蓄積なのである。

社会運動が下火になって以降のデモは、少数の人だけが担い続ける、いわば後継者のいない伝統芸能のような性格を強めていった。それが震災により一気に活性化し、初めて参加した人たちにデモの経験を継承していった。先にふれたように、一九七〇年前後をピークとする日本の学生運動については、否定的な評価がある種の通説となっている。暴力に終わったことだけでなく、ヨーロッパの学生運動が緑の党を生み出したような意味で、新しい政治をもたらすこともなかったからである。

しかし、実際にデモに参加した人たちの分析からわかったのは、過去の運動経験は決して無意味ではなく、現在そして将来の運動へとつながるということだった。三・一一後のデモに参加した人たちは、自らの経験をおおむね肯定的にとらえており、デモという意思表明の技法が途絶える寸前に継承したのである（第7章）。

私たちは、市民の意思を伝え社会を変える重要な手段として社会運動をとらえており、もっと普通にデモができる社会が望ましいと考えている。私たちが調査で得た知見も、こうした価値判断に沿ったものであり、デモは活動的な市民を生み出す孵卵器のような役割をも果たしていた。そのこともあって、この本を学術書ではなくまず選書として刊行することにこだわった。この本をまず手に取ってほしいのは、この間の社会運動に参加した人、参加しないまでもエールを送っていた人、反感を持ちつつ関心を持っていた数多の人たちである。以下の各章での分析から、あの時の経験をとらえ返していただけたらと思う。

1——Sugimoto, Yoshio. *Popular Disturbance in Postwar Japan*, Asian Research Service, 1981.

2——西城戸誠によれば、一九九〇年代には抗議活動の数がピーク時の四分の一に、その規模は八分の一まで低下している（Nishikido, Makoto. "The Dynamics of Protest Activities in Japan: Analysis Using Protest Event Data," *Ningen Kankyo Ronshu*, 12(2), 2012.）。

3——日本で三・一一後の社会運動にいち早くアプローチしたのは、歴史社会学者の小熊英二である（小熊英二編著『原発を止める人々——3・11から官邸前まで』文藝春秋、二〇一三年）。これは小熊ならではの嗅覚の鋭敏さを示すものだが、自らが反原発デモに参加していた実践の延長という性格が強く、学術的なアプローチはほぼ不在だった。むしろ、海外の研究者の方がデモの復活に関心を持ち、研究を進めてきた（Brown, Alexander J. *Anti-Nuclear Protest in Post-Fukushima Tokyo: Power Struggles*, London: Routledge, 2018. Chiavacci, David and Julia Obinger eds. *Social Movements and Political Activism in Contemporary Japan: Re-Emerging from Invisibility*, London: Routledge, 2018. Manabe, Noriko. *The Revolution Will Not Be Televised: Protest Music after Fukushima*, Princeton: Princeton University Press, 2015. Tamura, Azumi. *Post-Fukushima Activism: Politics and Knowledge in the Age of Precarity*, New York: Routledge, 2018. Wiemann, Anna. *Networks and Mobilization Processes: The Case of the Japanese Anti-Nuclear Movement after Fukushima*, Munich: Iudicium, 2018）。

4——この時点での状況を知るに際しては、野間易通『金曜官邸前抗議』河出書房新社、二〇一二年、小熊英二『首相官邸の前で』集英社インターナショナル、二〇一七年を参照。
5——SEALDs編『民主主義ってこれだ！』大月書店、二〇一五年。高橋源一郎・SEALDs『民主主義ってなんだ？』河出書房新社、二〇一五年。
6——シドニー・タロー（大畑裕嗣監訳）『社会運動の力——集合行為の比較社会学』彩流社、二〇〇六年。
7——小林哲夫『シニア左翼とは何か——反安保法制・反原発運動で出現』朝日新聞出版、二〇一六年。
8——『朝日新聞』二〇一一年三月二八日付。
9——Grasso, Maria T. and Marco Giugni. "Protest Participation and Economic Crisis: The Conditioning Role of Political Opportunities," *European Journal of Political Research*, 55, 2016.

第1章

個人化時代の社会運動

目覚まし時計としての三・一一

——佐藤圭一

1　原発事故と反原発運動の隆盛

二〇一一年三月一一日に発生した東日本大震災に伴う福島第一原発事故（以下、三・一一）は、深刻な被害を日本全体に及ぼした。避難を余儀なくされた人は把握されているだけで約一五万人をかぞえ、自主的に避難した人々は数知れない。東日本を中心に食べ物や水の汚染が観測され、大気中の放射線量を計測するモニタリングポストが各地に置かれた。それだけではない。事故を起こした原子炉の解体には四〇年以上かかるとされ、収束の見込みは立っていない。避難指示が解除された地域への帰還や補償金の額、その受け取りをめぐって、住民たちの間には亀裂が生じている。

こうした甚大な被害をもたらした原発に対して、大規模な反原発デモが発生した。最初の大規模なデモとして知られているのは、リサイクル・ショップオーナーのグループ「素人の乱」による二〇一一年四月一〇日のもので、一万五〇〇〇人が参加した。六月一一日には反原発デモが全国で同時に実施され、東京では原水爆禁止日本国民会議などの反原発団体、グリーンピースなどの環境NGO、素人の乱などが一連のデモを企画し、約八万人が参加した。九月一一日から一九日にかけて同様のデモが実施され、東京の明治公園でのデモには六万人が参加している。さらに、二〇一二年三月二九日以降、首都圏反原発連合が首相官邸前でデモを行い、七月末には最大二〇万人が参加した。七月だけで、全国のデモ参加者はのべ一〇〇万人を超えたという[1]（参加人数はすべて主催者発表）。

デモだけではない。甚大な被害をもたらした原発に対して、人々は厳しい目を向けた。原発の縮小を求める世論は、三・一一後には常に六〜七割を占める。これらの反原発世論に支えられた大規模な反原発デモは、日本の社会運動の歴史の中でも特筆すべき価値を持つ。それは、「はじめに」で触れたような「長い沈黙後のデモ」ということだけではない。今回の大規模デモは、労働組合など、デモへの動員をかつて支えた組織の力が衰えているといわれる時代に起きている。労働組合の組織率は二〇一一年の時点で一八％で、デモが活発だった六〇年代のおよそ半分程度でしかない。労働組合をはじめとする組織に所属する人の数が減り、これら中間団体の力が全般的に弱まる現象は「個人化」と呼ばれる。これは、世界的に進行している現象でもある。[2]

このような変化は、デモの参加者数に直接的な影響を及ぼす。これは、組織的な動員という側面にとどまらない。デモに参加するには、事前にいつどこでデモがあるのか知っている必要があるが、そうした情報は一般に運動組織を通じて伝わっていく。[3]その媒介役を果たしてきた中間団体が弱体化するなかで、一連のデモはどうして起こったのだろうか。

三・一一後の反原発デモには、①反原発の世論に支えられていること、②大規模であること、③個人化の時代に起こっていること——という特徴がある。この章ではこれらに対応させるかたちで、反原発世論（第2節）と反原発デモの規模（第3節）について簡単に確認したうえで、「個人化の時代において誰が新しい参加者となったのか」という問いに答えたい（第4節）。それにより、ともすると見えなくなりがちな三・一一後の反原発デモが持つ新しさの「種」を明らかにしていこう。

2　誰が反原発になったのか

三・一一以前、日本の反原発世論は低調だった。岩井紀子《のりこ》と宍戸《ししど》邦章によれば、一九七〇年代から震災前まで、およそ六割近くの人が、原発を「増やす」ことに賛成していた。[4] さらに二割前後の人が、「現状維持」を望んでいた。この期間を通じて原発の数は徐々に増えているので、実質的には八割近くの人が、原発の建設に賛成していたことになる。

特徴的なのは、原発事故があると、「増やす」という意見は一時的に減少するが（一九七九年のスリーマイル島事故後、一九八六年のチェルノブイリ原発事故後、一九九九年のＪＣＯ臨界事故直後）、その都度、元の水準に戻っていくことである。

その要因について、従来の研究は、おおよそ次のように説明してきた。日本の約六割の人々は、原発事故に不安を感じつつも、電力の安定供給の必要性（便益）から原発を支持する消極的な肯定層である。事故が起こった場合、とりわけこの層で不安を抱える人が増えて世論が変動する。しかし時間がたつにつれてマスコミの報道量が低下し、それに伴って、原発事故の認知度も低下し、不安が弱まって元の意見へと戻る、と。

「しばらくすればまた賛成が増えるだろう」という見立ては、福島第一原発事故後も、賛成派・反対派を問わず共有されていた。だが、双方の予想に反してそのようなことは起きていない。前述の通り、震災後には継続的に、六～七割の人が原発を「減らす」べきだと答えている。

何が変化したのか。北田淳子[5]によれば、原発の便益に対する評価は低下していないものの、事故への不安は大きく増加し、全体として人々の判断は便益よりもリスクを重視するものへと変化しているという。震災以前でも、原発が立地する地域では、便益よりもリスク認知の大小が、原発への態度に大きな影響を及ぼすことが知られていた。原発事故の影響が広範囲にわたったため、日本全体が原発立地地域と同じような意見に変化したことが推測される。

原発を支持するかどうかを左右する要因について、もう少し細かくみてみよう。震災前後の各種の調査[6]をまとめると、原発賛成に結びつくのは、男性、若年、原発遠隔地に居住、科学技術・国・大企業・エリートへの信頼の高さ、経済成長の重視、高収入、正規雇用、自民党支持といった要素である。一方、反原発に結びつきやすいのは、女性、高齢、原発の近くに居住、環境主義、直接民主主義志向、再分配重視、低収入、自営業、非正規雇用などである（子どもの有無については、明確な結果を見いだせないことが多い）。

以上をまとめると、震災後に反原発世論が急激に増加した背景には、①リスク認知が広範囲にわたって形成され、消極的賛成派が反対に変わったこと、②従来からの反対派が反対の立場を強めたこと——があろう。また震災後の調査では、特に高齢者、自営業者、低所得者、非正規雇用者といった人々が反原発を支持する傾向にあったことが確認されている。つまり、経済活動の中心にいなかった人の方が、反原発の姿勢を強めたと考えられる。

3　どれくらいの人が反原発運動に参加したのか

震災以降、原発をめぐる日本の世論は劇的に変化した。しかし、原発反対の人がみな反原発デモに参加するわけではない。私たちの調査によれば、震災後に反原発デモに参加したのは、再稼働に反対する人々の二・八％、回答者全体の一・四％である。

この数字をどう評価すべきか。国際比較でみた場合、この数値は低い。そもそも、日本におけるデモ参加者は、三・一一以前も以後もかなり低い水準にある。国際社会調査プログラム（ＩＳＳＰ）のデータをみると、二〇一四年に日本において、反原発デモに限らず、「過去一年にデモに参加した」のは、回答者の一％である。この調査に参加した三四カ国のなかで、この数値は最下位だった。

もっとも、デモが少ないことを日本の特徴だと考えてしまうのは誤りである。七〇年代半ばまでは、安保闘争や三池争議、平和運動、学生運動、反公害運動をはじめとして大規模なデモやストライキが活発に行われていたからだ。しかし、七〇年代中期を境に、これらの運動は、すくなくともデモやストライキという目に見える形では、減少していった。

七〇年代半ば以降、大規模デモがみられなくなった要因については、さまざまな説が出されている。[7] 市民団体を設立する際の法的な難しさ、ベトナム戦争終結によってデモの主要争点だった平和問題が後景に退いたこと、過激化した学生運動が危険視され運動が怖いものとみなされるようになったことなどである。原発については、新規立地ではなく既設地域での増設が基本的な推進策になったことで、反対運動が広がりにくくなったことも挙げられる（反対運動がもっとも活発になるのは、新たな土地に原発を建設する場合だからだ）。

これらのマクロ要因に加えて、運動参加者の「内向化」を指摘する議論もある。学生運動が高まりをみせた六〇年代後半には、デモやストライキを通じた体制変革に価値が置かれていた。それに対して七〇年代半ば以降は、消費社会の中での自己意識やライフスタイルの変革、もしくは眼前の豊かな生活の維持へとその主眼が変化したとするものである。

この議論の系譜として、樋口直人ら[8]の研究を詳しくみてみよう。樋口らは、世界的には社会運動のグローバル化や緑の党の広がり、反核運動の高揚といった「新しい社会運動」がみられるにもかかわらず、「八〇年代以降の日本において、新しい社会運動が停滞し続けるのはなぜか」と問う。その背景要因として、「新しい社会運動」に親和的な価値観を持ちつつ、デモをはじめとした運動に背を向ける「ニヒリスト」の存在を指摘する。ニヒリストは、高学歴で左派、言論の自由を重視する中年層を核とするが、政策決定における民意の反映など政治参加は重視していない。運動団体や運動への参加率も高くはない。それに対してドイツで緑の党の支持基盤をなすのは、「ニヒリスト」と同じように高学歴で左派、言論の自由を重視するタイプの人々で、違いは政治参加にも積極的である点だという。

他の国では運動参加に活発な層が、日本ではデモに参加しない。その結果、日本におけるデモの主たる担い手は、「教養市民」（高齢で自営業が多いハイカルチャー層）、「勤労市民」（労働組合に参加する中年被雇用者）、「オールドレフト」（高齢で左派、中下層の定年退職者）であるという。

三・一一以降の状況は、こうした仮説をある意味で裏切る結果を示しており、明らかにデモは活発になっている。[9] 大規模デモは反原発運動だけではなく、次章で扱う反安保運動でもみられた。では、誰が新たにデモに加わるようになったのか。調査の結果を実際にみていくこととしよう。

4　誰が新しい参加者なのか

私たちの調査では、調査対象者に「震災以後の反原発デモへ参加したか」、および反原発デモを含め「何らかのデモに震災以前に参加したことがあるか」を尋ねた（表1－1）。

その結果、回答者全体の〇・六%が、震災後に初めてデモに参加した新規参加者（以下「新規層」）であり、全体の〇・九%はすでに震災前から何らかのデモに参加した経験をもつ継続参加者（以下「ベテラン」）だった。反原発デモに参加した人のうち、六〇%のベテランに対し、四〇

表１－１　震災前のデモと震災後の反原発デモへの参加経験

n=77,084		震災後の反原発デモへの参加（%） 不参加	1回	2-5回	6回以上	
震災以前のデモ参加（%）	不参加	96.5	0.4	0.2	0.0	⇒ 新規層（0.6%）
	1回	0.7	0.3	0.1	0.0	
	2-5回	0.8	0.1	0.2	0.0	⇒ ベテラン（0.9%）
	6回以上	0.5	0.0	0.1	0.1	

注：数字は全体で100%となる

％が新規層だったことになる。新規層は、デモ参加者数を一・六六倍に底上げしたのである。

ここで、各層の概要をみるために、世代ごとの割合を図１－１に示した（次ページ）。参考のために「再稼働反対だがデモには不参加」（運動にとっての「潜在的後援者」）、「再稼働に賛成・中立」（運動にとっての「潜在的敵対者」）についても図に含めた。

よくいわれるように、安保・全共闘世代や団塊世代の運動参加率は非常に高い。一方、運動に消極的といわれるしらけ世代（一九五〇～六四年生）でも、一九五六年までに生まれた、退職者が大半を占めるとみられる人たちの場合、参加率が比較的高い。それより若い世代だと参加率は一気に下がるが、プレッシャー世代（一九八二～八七年生）以降は参加率が緩やかに増加している。ただし、若い世代ほど潜在的後援者は減っているため、若年層は共感してくれる同世代という支えなしで運動に参加せねばならない。

ここまで見たうえで、ベテランと比較した場合の新規層の特徴を、属性、デモに参加するに際しての情報源、価値観という三つの側面から分析していこう。[10]

図1－1　各グループの割合（世代別）

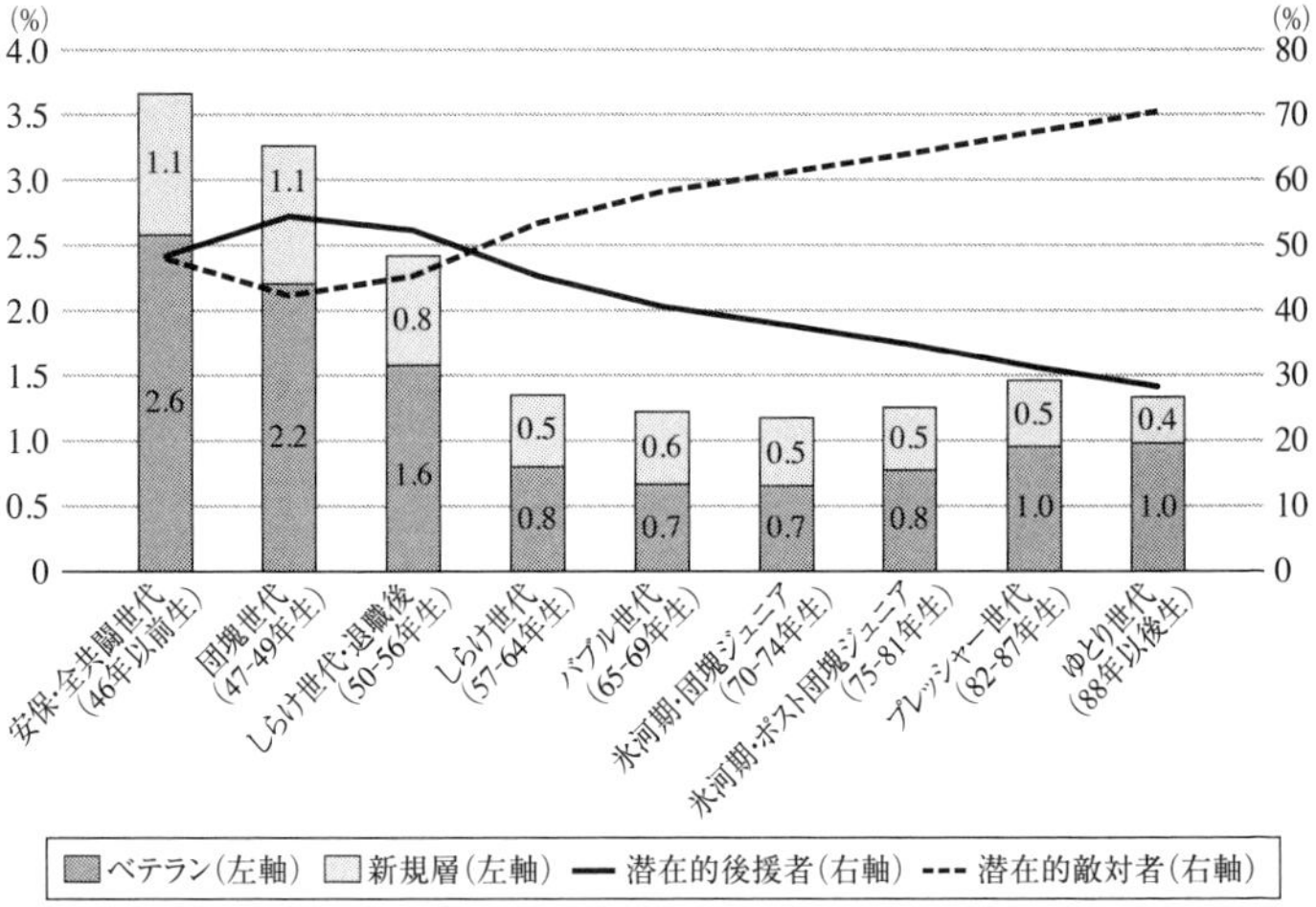

①属性

ベテランと比較した際の、新規層の第一の特徴は、正社員・職員以外の参加者や女性が多いことである（年齢や学歴に関して、両者に違いはみられない）。ベテランの半数（五〇％）が正社員・職員であるのに対して、新規層では三九％にとどまり、過半数（五八％）は、自営業・パート・学生・専業主婦・無職といった、正社員・職員以外の人々だった（図1－2）。また、新規層における女性の割合（四〇％）は、ベテラン（三二％）のおよそ一・二五倍だった。つまり、経済活動の中核というよりは周辺的な人々が新規層になったことが見いだせるのである。

新規層は、従来型の運動団体や政治団体がすくい取れてこなかった人々でもある。ベテランの二割は、労働組合や政党・政治家の後援会に所属し、積極的に活動していた。新規層において、そのような人々は半数以下の九％にとどまる。

ベテランには、このように運動団体とつながっているがゆえに、震災以前からデモ以外にもさまざまな運動に関わってきた人が多かった。ベテランの約七割は震災以前にも署名や寄付を行い、六割近くが集会への参加や陳情、運動に関するインターネットへの書き込みなどを行ってきた。

一方、新規層の四二％は、三・一一を迎えるまで、運動に関わったことはないと回答している（ベテランのうち、デモ以外の活動経験がないのは一一％）。ただし、運動と無縁だったわけではなく、

図1－2　ベテラン・新規層の雇用形態

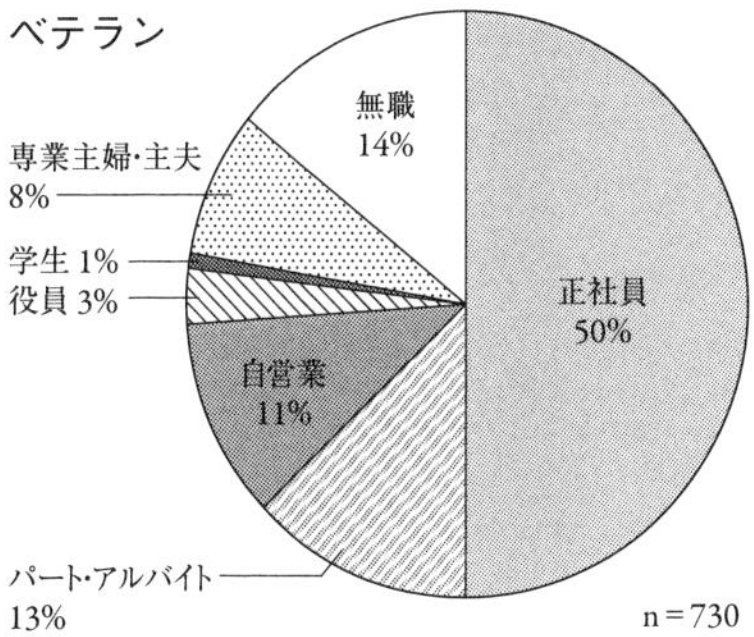

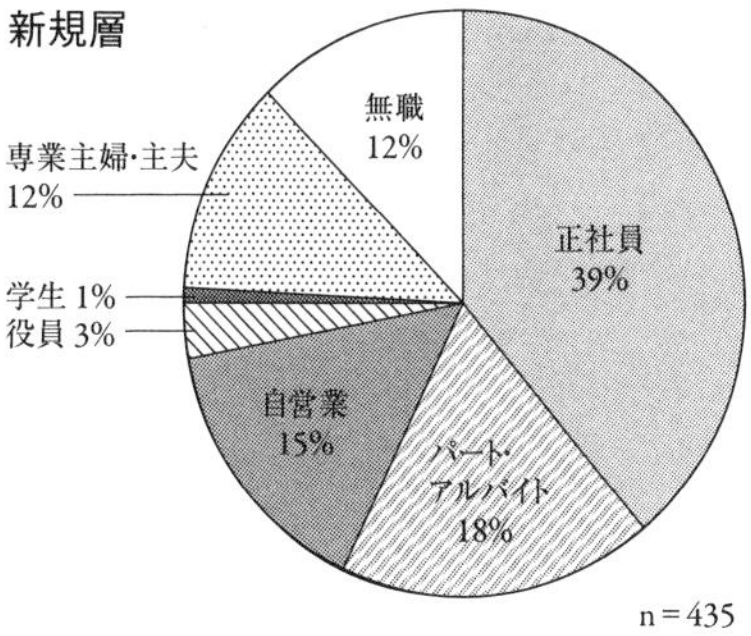

半数（五三％）の人々は署名や寄付をしたことがあった。集会への参加や陳情などについても約二割は経験しており、相対的にみれば活発な層だといってもいい。

このようにみてくると、新規層は、三・一一以前から運動への親近感をある程度もっており、福島第一原発事故をきっかけに一歩踏み出したことがうかがえる。とはいえ、それは、原発事故によって自らの生活が強い影響を受けたからではない。震災を通じて「経済的に苦しくなった」「日常生活に支障が生じた」「健康に影響があった」といった個人的影響に関していえば、新規層とベテランの違いは見いだせない。新規層の特徴は、環境破壊や政治の機能不全といった、震災による社会的影響への認知が高いことで、ベテランよりもむしろ新規層の方が「社会の劣化」を鋭敏に感じ取っていたのである（第2章参照）。

②デモ参加のための情報源

それでは、反原発運動に参加する動機が生まれた新規層の人々は、デモの情報をどのように得たのだろうか。新規層の第二の特徴は、ツイッターやフェイスブックなどのSNSを含むインターネットを主たる情報源としていることである。デモ参加のきっかけに関して、新規層はベテランに比べて「家族・友人・知人から聞いた」という割合が低く、デモ情報をもたらしてくれる身近な人は少ない。他方で、「家族・友人・知人からの誘い」が実際に参加のきっかけとなった割合は、新規層とベテランで特に違いはみられない（図1－3）。口コミ情報に弱いはずの新規層が、家族や友人に誘われてデモに参加する比率においてベテランと変わらないのは、ベテランよりも勧誘に応じる比率が高かったからだろう。

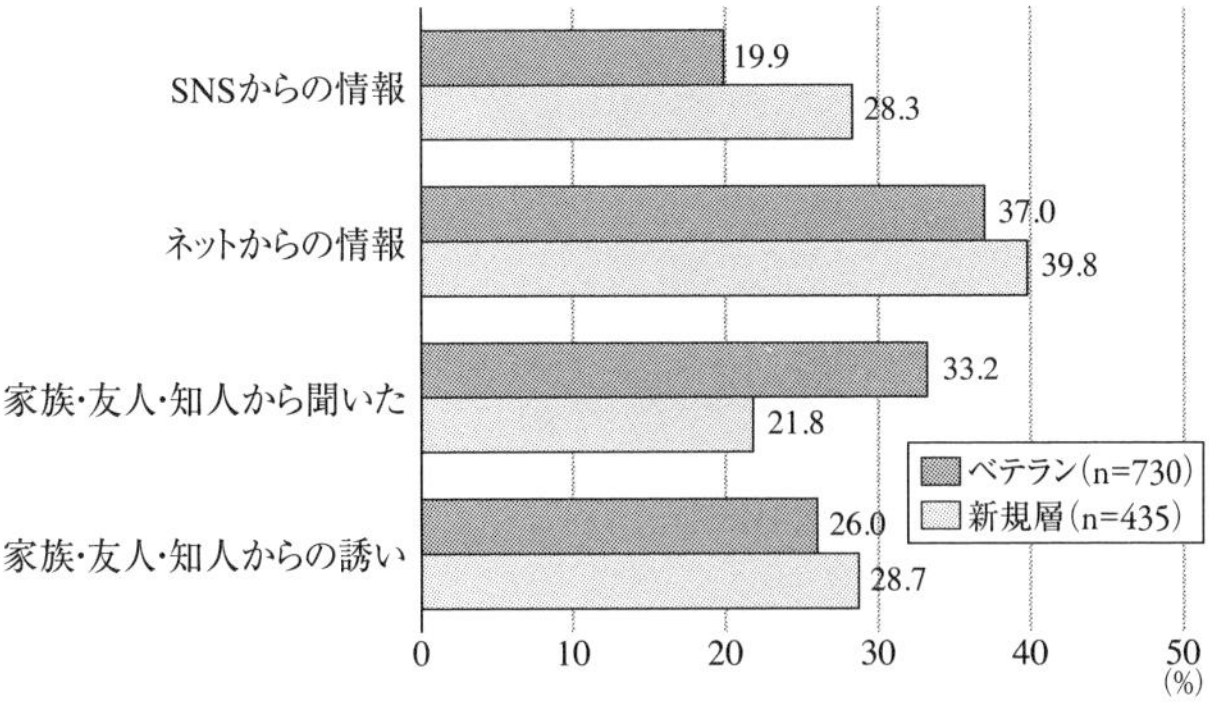

図1－3　デモ参加のきっかけ

とはいえ、直接的な人間関係は、新規層にとってそれほど重要ではなかった。むしろ、よく使われていたのはＳＮＳであり、新規層は口コミよりもＳＮＳからデモの情報を得る比率が高かった。では、ＳＮＳやインターネットは、どのようなつながりを作り出したのだろうか。以下は、ＳＮＳやネットに関する新規層の回答例である。

放射能が人体へどのような影響を与えるのかを調べている過程でネットでの繋がりが増えた。ネットで知り合った人たちは活動家でもなんでもなく普通の市民で、そんなひとたちがおかしいことはおかしいと言わなきゃだめなんだと奮起する姿に影響されて、参加することでなにかが変わるかなんてわからなかったが、自分も意思表示することが大切なんだと思わされた。（三〇代女性）

図1－4　よく使う情報源

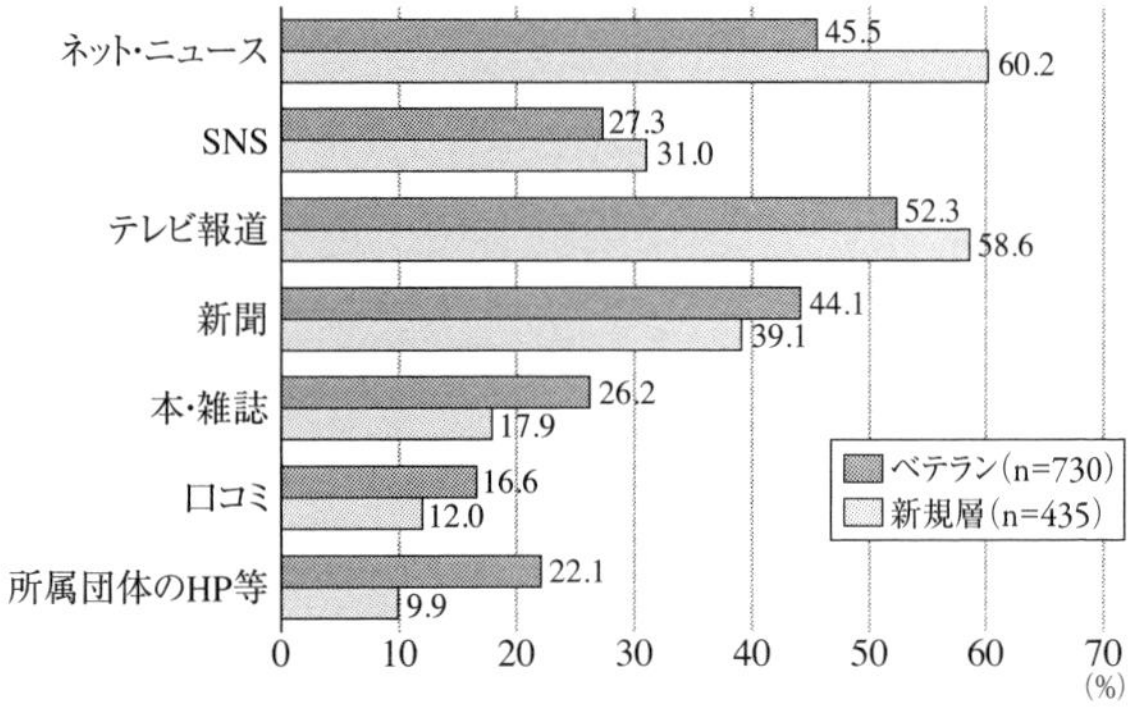

> 実際にあのような未曾有の出来事の後で市民が実際に行動できることがあまりに少なく、それまでの自分の政治や社会／環境問題に対する（無自覚の）無関心さに愕然とした。ＳＮＳ（主にTwitter）で情報収集をした。（三〇代女性）

最初の例からみえてくるのは、インターネットで情報収集をするうちにつながりができる過程である。この二人は、原発事故をきっかけにインターネット上で情報を調べているうちに、他の市民とつながっている。デモに参加するきっかけもＳＮＳであり、そこではインターネットの匿名性が重要な役割を果たしていると思われる。というのもインターネットでは、運動の様子を「のぞき見」することができ、そこでどのようなものか確認したうえで、より深いつながりへと移行できるからだ。

また、大勢の人々が参加していることがネット上で伝わり、さらに参加者を広げた側面もある。以下でみるように、反原発派だが社会運動とはつながっていない人々が、インターネット情報をもとに参加したことが見て取れる。

反対の声を上げなければ伝わらないと思った。ネットやテレビのニュースで大勢が参加していると知った。（五〇代男性）

新規層にとって、テレビの報道番組と同程度に重要なのがインターネット・ニュースである（図1－4）。また、ベテランはSNSと同程度に所属団体のホームページ（HP）やニュースレターを情報源としているが、新規層はこの手の情報をほとんど利用しない。このため、新規層はベテランに比べて、インターネットやSNS上の情報に依存することとなる。

③価値観

最後に、新規層とベテランとで、価値観や政治的志向にどのような違いがあるか比較しよう。両者の違いが端的に表れるのが、投票行動である。二〇一七年の衆議院議員総選挙（比例区）で、ベテランは共産・社民党もしくは立憲民主党に多く投票していた。原発に批判的な立場であるにもかかわらず、自民・公明党に投票した人も一定数いた。これに対して、新規層では立憲民主党に投票する人が多い（図1－5）。

このような違いは、どこから来ているのだろうか。ここでは、以下の六つの価値観から、両者

図1－5　ベテラン・新規層の投票先
（2017年衆議院議員選挙比例区）

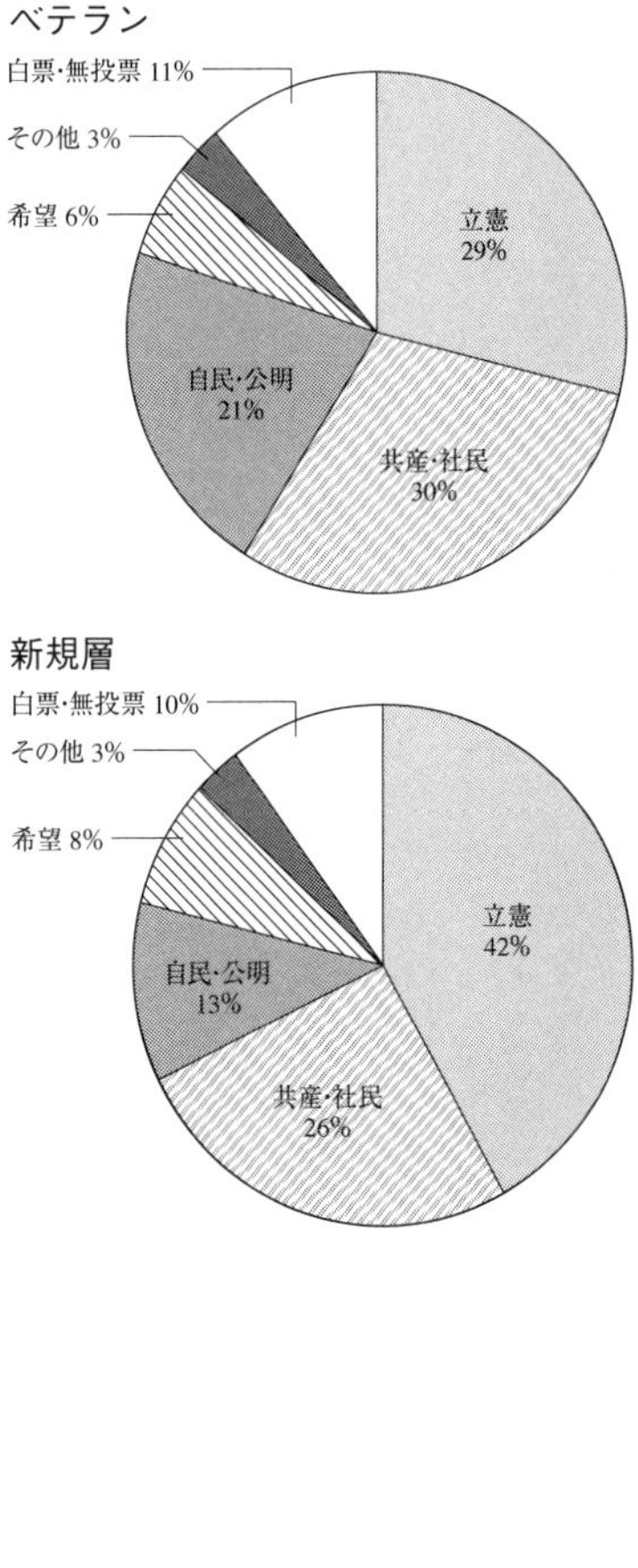

の異同を考えてみたい。

①ナショナリズム（日本人であることに誇りを持ち、国旗・国歌、愛国心教育などを支持）。②直接民主主義（国民投票を支持、エリートよりも一般市民の意見が正しい）。③文化的自由主義（同性愛、夫婦別姓を支持）。④反権威主義（伝統や慣習、権威ある人や専門家に従うべきだと考えない）。⑤経済的自由主義（所得格差を容認、社会保障よりも自助を重視）。⑥環境主義（環境問題への敏感さ、経済成長よりも環境保護が大事）。これらは全体の平均が○になっており、マイナスの場合には、その価値観により否定的で、プラスの場合には、より肯定的であることを示す（変数の詳細は補遺

参照）。

回答の傾向をまとめると、以下のようになる。まず、新規層はベテランと同様にナショナリズムに否定的だが、ベテランほどではない。また、新規層はベテランよりも経済的自由主義に肯定的である（逆に言えば富の再分配に否定的である）。ナショナリズムと経済的自由主義に対する態度の違いは、日本における従来型の右派―左派の対立軸と合致するといっていい。それで言えば新規層は、ベテランに比べて左派色が薄い。

それに対して、従来型の左右の対立軸とはズレる価値の次元では、新規層の特徴が表れる。すなわち、文化的自由主義、反権威主義、直接民主主義、環境主義のいずれについても、新規層はベテランよりもかなり肯定的であった。ここで、新規層の投票先が「左でも右でもなく前へ」と謳った立憲民主党に多かったことを想起されたい。これは、一九八〇年代にドイツ緑の党が掲げたのと同じスローガンである。ベテランよりも左派色が薄く、代わりに新しい価値観を重視する新規層が共感しやすいものだったのではないか。その意味で新規層の価値観は、ヨーロッパで定着した緑の党の支持者に近いともいえる。

図1―6はこれらの知見を図示したものである。左右の対立軸を形成する主要素であるナショナリズムを横軸に、新しい対立軸の一つである直接民主主義を縦軸に取った（横軸に経済的自由主義を、縦軸に反権威主義、文化的自由主義、環境主義のいずれかをとっても同じような分布になる）。そのうえで、新規層、ベテラン、潜在的後援者、潜在的敵対者を位置づけている。この図に表れ

図1－6　各グループの価値観プロット

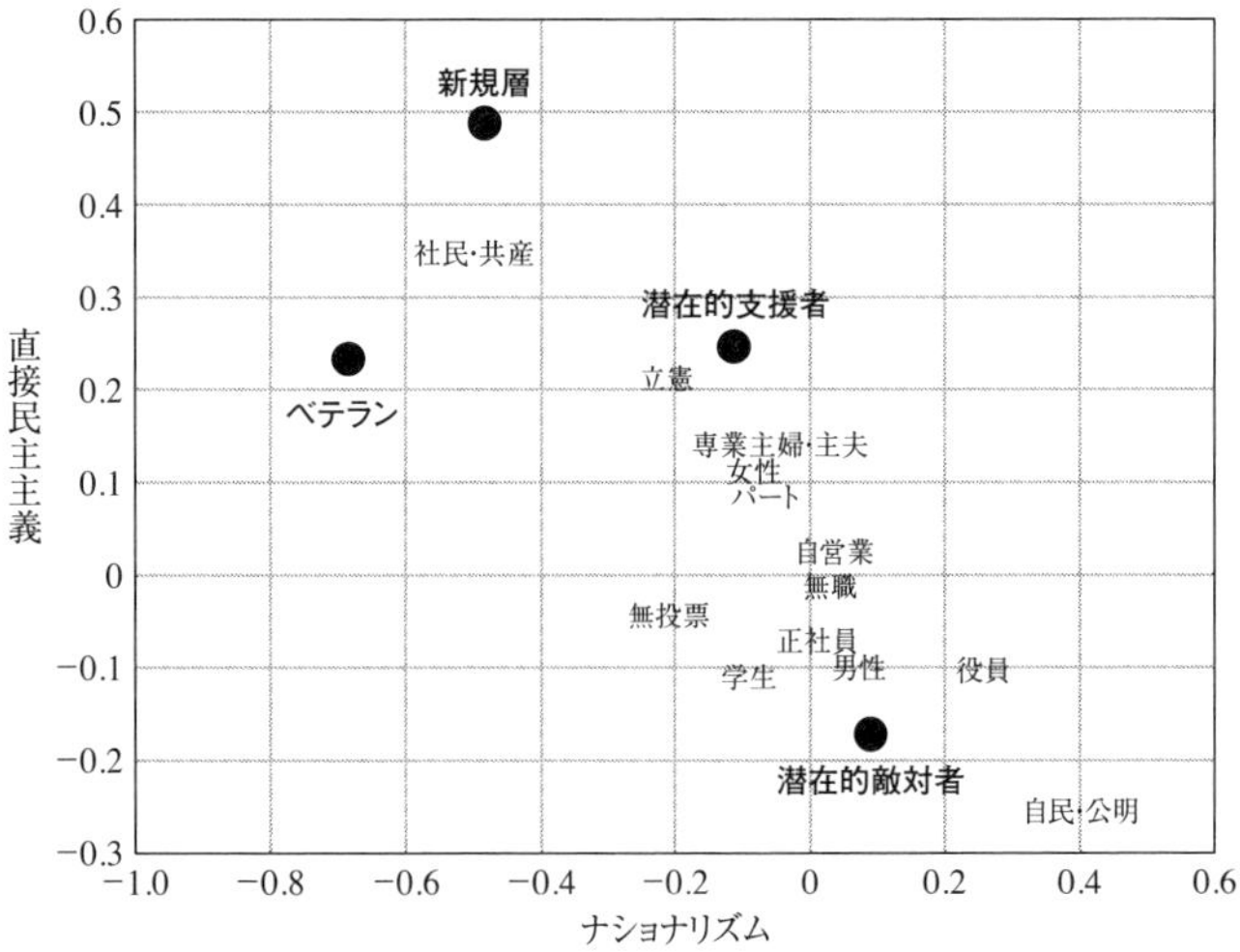

注：各点・名称はそれぞれの属性に該当する人々の平均値を示す。政党名は、2017年衆議院議員総選挙（比例区）において各党に投票した人の平均値を示す。

ているように、三・一一後の反原発運動は、新規層が加わることで、以前よりも図の上方へと拡大した。つまり原発事故は、新しい価値観を持つ層をデモへといざなったわけである。

図1－6には、男性、女性、正社員、自営業、学生といった属性ごとの平均値も示してある。このうち正社員、男性は、「新規層」「ベテラン」などのデモ参加者からもっとも遠い層だった。だが、デモに参加したベテランも、正社員・男性の割合が高かったことはすでにみた。つまり、これまでのデモ参加者の中核を担ってきたのは、男性・正社員の中での〝変わり種〟だったのである。それに比べて正社員以外や女性は、全体としてデモ参加者に近い。これらの層がデモに参加す

ることによって、直接民主主義的な志向が強い人の声が路上に響くことになった。

5　個人化時代の新しい運動の担い手たち

福島第一原発事故は、原発に対して「消極的な肯定派」だった日本社会を劇的に変え、いまや反原発は多数派である。しかし、こうした世論の変化が、反原発デモの参加へと直接的に結びつくわけではなく、デモ経験者の割合は国際的にみて、いまも低い水準にある。反原発デモに参加する人は全体の一・四%程度であり、その過半数はこれまでもデモに参加してきたベテランたちである。確かに原発事故後のデモは大規模ではあるが、それはベテランが反原発デモに参加することによって可能になった部分が大きい。このことは、反原発運動の新しさを強調する議論に対して、それまでの運動の蓄積の重要性を示すものといえる。

だが、事故後の反原発デモに参加した四割が新規層である。この人々はベテランよりも左派色がやや薄い一方で、文化的自由主義、反権威主義、環境主義、直接民主主義といった、七〇年代以降に重視されるようになった価値観の持ち主である。

これら新規層が、労働組合など中間団体の力が弱まっていく個人化の時代に台頭したことは、今後を占ううえでも大きな意味を持つ。確かに、反原発デモにおいてベテランの存在は大きい。しかし、新規層と比べて、正社員・職員、男性、団体所属という特徴を持つベテランだけでは、これほど大きな運動にはならなかっただろう。

ベテランと比べて、正社員・職員以外、女性といった特徴を持つ新規層の人々は、労働組合や政治家の後援会など、既存の運動団体や政治団体に所属する割合が低かった層でもある。この人々を運動にいざなう役割を果たしたのは、SNSをはじめとするインターネットであった。個人化の時代に大規模なデモが可能になった要因の一つとして、こうした情報技術の発展を挙げておかねばならないだろう。とはいえ、情報技術が発達しさえすれば、これらの人々の運動参加が進むわけではない。新規層は、原発事故を契機に自ら情報収集し、新たなつながりを生み出したがゆえに、デモに参加するようになったのだ。

どのような趣旨のデモであれ、ベテランと新規層は存在するが、原発事故後の反原発デモにおいて両者は明らかに異なる特徴を示していた。一般に社会運動は、初参加の時がもっともハードルが高いといわれる[11]。新規層は、原発事故をきっかけにこのハードルを乗り越えたわけだが、そのために必要な要素はベテランとは異なっていた。すなわち、ベテランはデモにいざなわれる人間関係を持ち、通常の意味での左派であるがゆえに比較的容易にデモへと足を運ぶ。

しかし新規層の場合、ベテランほど運動ネットワークに組み込まれてはいないし、左派であると自認しているわけでもない。そうした新規層がハードルを乗り越え得たのは、原発事故という問題に敏感に反応したからであり、さらに言えば、この人々が、緑の党の支持者に類似した価値観を持っていたからである。こうした価値観は、日本では社会運動に結びつきにくいとされてきたが、反原発デモの一翼を担うようになった。原発事故は、新規層を覚醒させる目覚まし時計になったわけだが、それによって何がもたらされたのか、次章で詳しくみていくこととしよう。

1――木下ちがや『ポピュリズムと「民意」の政治学――三・一一以後の民主主義』大月書店、二〇一七年、八二頁。
2――ウルリッヒ・ベック『危険社会――新しい近代への道』法政大学出版局、一九九八年、三一四頁。
3――ドイツでは地元で大規模デモ・イベントが企画されている場合、しばしばその情報が事前に報道される。したがって日本に比べ、ドイツの方が、マスコミの慣行からいっても、団体とつながらない人々がデモに参加しやすい環境があるといえる。
4――岩井紀子・宍戸邦章「東日本大震災と福島第一原子力発電所の事故が災害リスクの認知および原子力政策への態度に与えた影響」『社会学評論』六四巻三号、二〇一三年。
5――北田淳子「継続調査でみる原子力発電に対する世論――過去三〇年と福島第一原子力発電所事故後の変化」『日本原子力学会和文論文誌』一二号、二〇一三年。
6――以上のまとめは、岩井・宍戸前掲論文、北田前掲論文に加え、私たちの調査および特に次の文献も参照。阪口祐介「原発への態度と世代・ジェンダー・社会階層――価値媒介メカニズムの検証」『桃山学院大学社会学論集』四九巻二号、二〇一六年。阪口祐介「脱原発――誰がなぜ原発に反対するのか」田辺俊介編著『日本人は右傾化したのか――データ分析で実像を読み解く』勁草書房、二〇一九年。俵健太朗「原子力発電に対する態度形成の規定因の究明原子力発電と格差意識に関する実証分析」立教大学社会学部社会調査グループ編『生活と防災についての仙台仙北意識調査報告書――震災被害と社会階層の関連』二〇一四年。吹野卓・片岡佳美「原発に対する意識と性別役割規範」『経済科学論集』四〇号、二〇一四年。善教将大「福島第一原発事故後の原子力世論――その規定要因の実証分析」『選挙研究』二九巻一号、二〇一三年。
7――代表的なものとして次を参照されたい。安藤丈将『ニューレフト運動と市民社会――「六〇年代」の思想のゆくえ』世界思想社、二〇一三年。小熊英二『一九六八』新曜社、二〇〇九年。小杉亮子『東大闘争の語り――社会運動の予示と戦略』新曜社、二〇一八年。ロバート・ペッカネン『日本における市民社会の二重構造――政策提言なきメンバー達』木鐸社、二〇〇八年。

8――樋口直人・伊藤美登里・田辺俊介・松谷満「アクティビズムの遺産はなぜ相続されないのか――日本における新しい社会運動の担い手をめぐって」『アジア太平洋レビュー』五号、二〇〇八年。

9――本章は福島第一原発事故後のデモ盛り上がりを個人の参加の側面から説明するが、これとともに団体レベルでもいくつかの変化が生じている。そのような団体レベルの変化について論じたものとしては下記を参照されたい。町村敬志・佐藤圭一編『脱原発をめざす市民活動――三・一一社会運動の社会学』新曜社、二〇一六年。佐藤圭一、フン・ワン・イン・キンバリー、森啓輔「福島第一原発事故後の社会運動団体の連携と新たな抗議サイクル――市民団体のエゴセントリック・ネットワーク分析」『アジア太平洋レビュー』一六号、二〇二〇年。

10――以下、新規層、ベテランの間で統計的に有意差がみられたものに言及する。名義尺度に関してはカイ二乗検定、間隔尺度に関してはt検定で、五％水準で有意な差がみられたものに基づいている。

11――Verhulst, Joris and Stefaan Walgrave. 2009. "The First Time is the Hardest? A Cross-National and Cross-Issue Comparison of First-Time Protest Participants," *Political Behavior* 31(3): 455-484.

第2章

抗議の波の到来?
誰がいつ参加したのか

樋口直人

1　反原発から反安保法制へ——抗議の波の到来？

前章でみた反原発運動のピークを過ぎてから、反安保法制運動のピークまでほぼ三年の間があいている。この間の状況を、図2－1をもとにみてみよう。この図は、朝日新聞記事をもとにデモの件数と参加者数の推移を示した結果である。これをみると、二〇一二年七月の原発再稼動反対デモと、二〇一五年九月の反安保法制デモは、確かに圧倒的なピークとなっていることがわかる。この間、確かに反原発運動は継続していたし、特定秘密保護法に対する反対運動のような、反安保法制運動の先駆けをなす動きも生まれていた。が、規模としては反原発運動と比ぶべくもなかった。運動の規模は全体的に縮小しており、反原発デモと同規模のデモが再び生じると考えていた人は、当の運動参加者も含めて、ほとんどいなかったのではないか。

しかし、安保法制の強行採決に際しては、国会前に連日多くの人が集まり、ＳＥＡＬＤｓ（自由と民主主義のための学生緊急行動）[1]の奥田愛基《あき》は大学生でありながら国会で参考人として意見を述べるほどの影響力を持った。確かに日本では、六〇年安保や七〇年安保への反対運動が示すように、平和・安全保障関連のデモが別格ともいえる規模で高揚した歴史がある。しかし、七〇年安保以降になると、二〇〇三年のイラク反戦デモが一定の規模に達したほかは——それとて国際的には小規模だったのだが——下火のまま推移したといえるだろう。

図2－1　3・11後の動員の推移

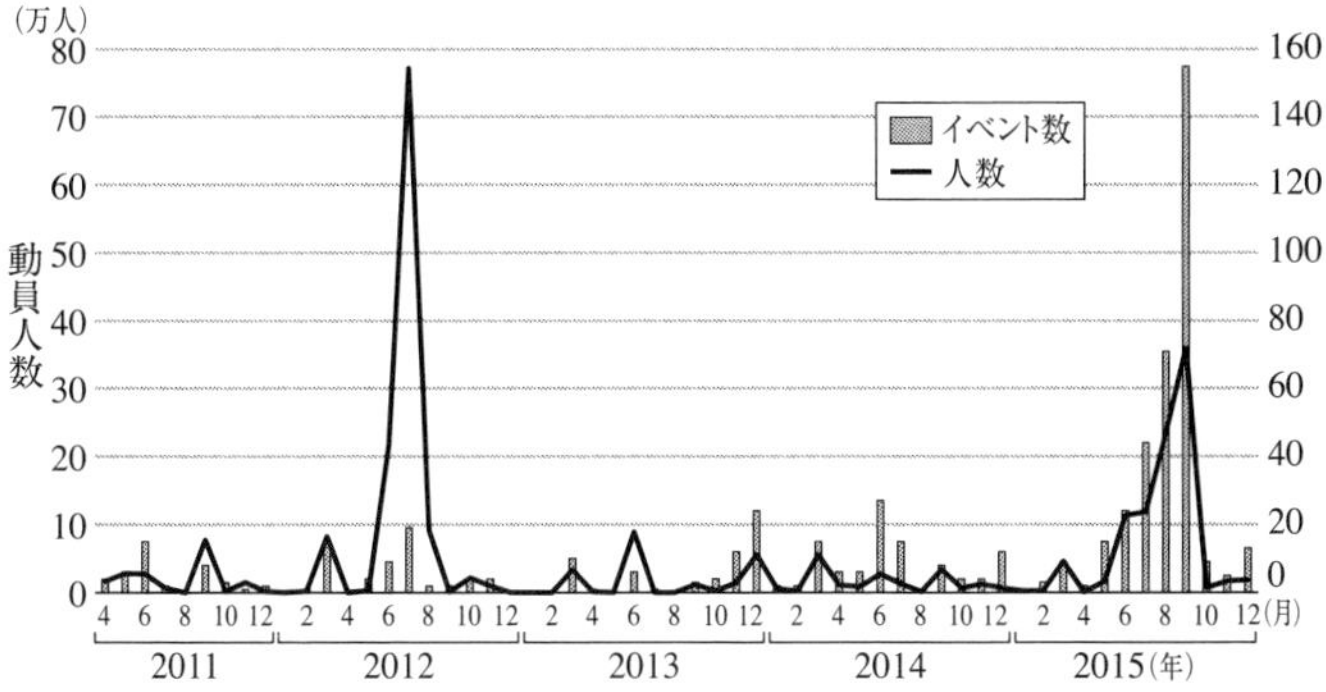

出典：朝日新聞記事データより著者計数

運動に火をつけた直接の原因が、東日本大震災に伴う福島第一原発の事故であることは間違いない。しかし、震災や原発事故と安保法制との間には三年もの時間の隔たりがあり、問題としても直接の関連があるわけではない。この間、民主党（菅、野田）政権から自公（安倍）政権へと変わっており、一つの政権が続いていたわけではなかった。とはいえ、反安保法制運動が反原発運動と無関係に生じたとは考えにくく、何らかの影響があったと考えるのが自然だろう。

では、震災と反原発運動は、反安保法制運動に対してどのような影響を及ぼしたのか。別の言い方をすると、反安保法制運動の規模がここまで拡大したのはなぜか。この章では、局面ごとのデモへの参加／不参加に着目し、抗議の波が三年越しで持続しえた要因を考えていくこととする。

2　デモへの参入と退出の小史――誰が参加したのか

①デモ経験が生み出すデモ

私たちのデータでは、反原発デモと反安保法制デモの参加者の人数は、前者が一割弱程度多いが、ほぼ同規模といってよい。そして二つのデモの参加者には、かなりの重複がみられる。反原発デモ参加者の七〇％が反安保法制デモにも関わり、反安保法制デモに参加した人の七六％が反原発デモの経験者だった。これは何を意味するのか。ひと言でいえば、デモに参加した経験の重要性であり、三・一一後の社会運動もその例外ではない。

そこで図2－2をみてもらいたい。これは、第1章でみたデモ参加経験について、反安保法制デモへの参加も含めた経緯を、フローチャートで示したものである。すべての読者がこの図の①～⑧のいずれかに該当するため、まずご自分がどれにあたるかを確認してほしい。筆者自身についていえば、震災以前にデモに参加した経験があるので、一二三九人（全体の二・九％）が該当するベテランに分類される。だが、反原発デモについては不参加（ベテランのうちの六七・四％）であり、反安保法制デモにも不参加（うち九四・四％）なので、図の右端の①に属する。

東日本大震災以前にデモに参加したことがあるベテランは、回答者の三％程度でしかないが、三分の一以上が三・一一後にも反原発デモないし反安保デモに行ったと答えている。それに対し

図2－2　デモ参加をめぐるフローチャート

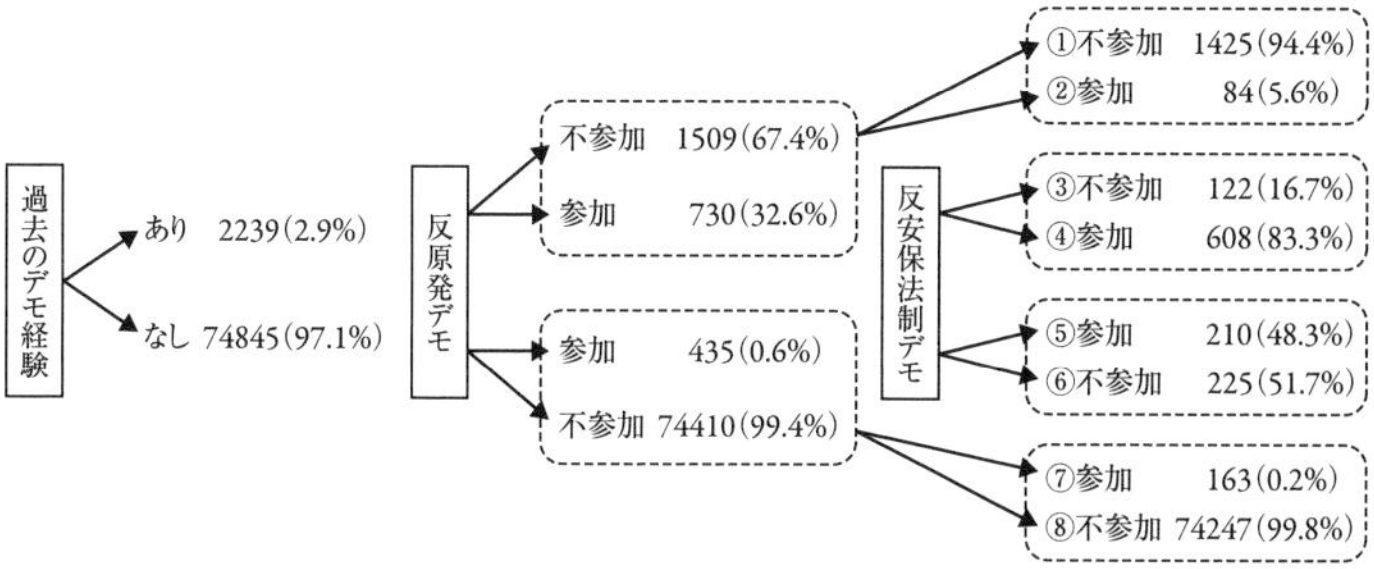

て、デモ経験がない人の参加率は〇・八％と格段に低くなる。新規層は全体の三七％だが、これは裏を返せば全体の三％にすぎないベテランが、デモ参加者の三分の二近くを占めていたことになる。新規層がデモに参加するハードルは、それだけ高いといえるだろう。

　では、新規層で反原発デモに参加した人は、その後の反安保法制デモにも参加したのだろうか。まず、反原発デモに参加したベテランのうち、八割以上が反安保デモにも参加していた。新規層の場合、反原発デモに参加した人のうち約半数が反安保デモにも参加していた。なぜ続けて参加するのか、自由回答欄での記述をもとに個々人の動機をみていこう。以下の二人は、震災以前にデモに参加した経験はないし、自らを左派・リベラルとみなしてもいない。にもかかわらず反安保デモに参加した理由を、次のように説明している。

　原発デモに参加してデモに参加する勇気が出たから。（三〇代女性）／反原発のデモに参加している流れから。（五〇代男

性）

特に男性の方は、両方のデモに五回以上参加しており、デモへの参加が普通のこととして経験されるようになった。その意味で、現在のデモは、将来のデモを生み出す種だといってよく、反安保デモは反原発デモの延長線上にある。この連続性をみるには、両方のデモに参加した人たちが重要となる。両方のデモに参加した人たちは、なぜ争点の違う二つの運動に関わったのか、次節で検討する。

他方、反原発デモにのみ参加した人たちは、反安保デモにはなぜ加わらなかったのだろうか。その理由は次に示すように一定の多様性があり、それぞれの論理があることがわかる。

【組織動員】組合によって強制的に参加させられた。（三〇代男性）

【蜂の一刺し】何も行動せずにいた事を深く悔やみ、せめて一度くらいは意思表示をしようと思って新聞記事に掲載されていた（反原発）デモに参加した。（五〇代女性）

【特化】原発を再稼動したら　地震がまた起きた時に同じことが起きてしまうから…活動が近くでも行われていて参加するようになった。（三〇代女性）

【単一争点】社会運動は数多くあるが、その賛否は個別の案件で考えられるべきだと思う。私は反原発だが、安保法制には条件つきだが賛成。（四〇代男性）

【無力感】デモをして何かが変わるのか…そんな虚しさを覚えている。(五〇代女性)

【違和感】わたしが参加したデモは扇動する団体に乗っかるもの。温度差を感じた。一度きり。以降は参加していないです。(三〇代女性)

【時間的余裕】震災の時期は失業中でデモやボランティアに参加しやすかったが、その後職を得てその機会が少なくなった。(六〇代男性)

「組織動員」された人は自発的に反安保デモに行くつもりもなく、「蜂の一刺し」は一度限りのつもりだった。反原発に「特化」する人、「単一争点」で反原発だが安保法制に賛成の人も、反安保デモには参加しないだろう。参加したものの、「無力感」や「違和感」を抱いた人は継続しない。最後に、就職などで「時間的余裕」がない人や、高齢で病気を抱えている人なども、継続した参加は難しくなる。

こうしたなかで、反安保デモにのみ参加する人たちがいたがゆえに、反安保デモは反原発デモに並ぶ規模を維持できたことになる。反安保デモのみの参加者は、以下でみるように「憲法」「反安倍」という、政治的な争点や意思決定のあり方を重視する点が一つの特徴となっている。

【憲法】日本の宝であり世界平和にとってなくてはならない九条が無いに等しくなる暴挙を許せなかった。(七〇代男性)

【反安倍】安倍総理のもと閣議決定で全ての解釈を変えてしまうことへの不信感から危機感を感じたので。（六〇代男性）

運動の性格を考えると当然の結果だが、他方で目立つのはメディアの影響であり、これは反原発デモとは違った特徴といってよい。次に挙げる、「触発」「報道」「相乗り」「連帯」「興味」とした人たちのうち、「触発」は友人の活動の結果だが、メディアに取り上げられ、広く注目されるようになったことにも触れており、報道の多さが参加を促す要因の一つとなっていることがうかがわれる。

【触発】友人らが活動しており、デモが注目を集め始め、自分も参加することで社会を変えるきっかけとなればと考えるようになった。（二〇代女性）
【報道】たまたま、ネットでニュースを読んでいたら、集会のことが書かれていたので、参加した。（四〇代男性）
【相乗り】みんながデモに参加しているから。（五〇代男性）
【連帯】若者がたちあがったことに勇気を得た。（五〇代男性）
【興味】興味本位で参加した。（三〇代男性）

表2－1　デモ参加をめぐる各類型の概要

		全体に占める比率	男性	60代以上	大卒	専門職	立民社共支持
ベテラン	①不参加	1.8	76	55	69	19	31
	②安保のみ	0.1	69	56	87	26	55
	③原発のみ	0.2	79	38	61	25	38
	④両方	0.8	68	32	66	24	44
新規層	⑤両方	0.3	71	33	68	23	60
	⑥原発のみ	0.3	49	23	56	30	32
	⑦安保のみ	0.2	61	28	66	31	49
	⑧デモ経験なし	96.3	52	19	54	18	9

注：数値はすべて％

②誰がどのようにデモに参加するのか

このように、異なる参加パターンを持つ人たちにはどのような特徴があるのだろうか。実のところ、デモに参加する人たちの社会的属性には、それほど目立った特徴は見いだせない。女性が少ない、高齢層がやや多い、学歴がやや高い、非正規雇用の人は参加しにくい、自営・自由業の参加率がやや高い程度である。ただし、参加パターンによる違いはそれなりに存在し、図2－1と同様に震災前、反原発、反安保でのデモ参加経験により分類し、属性と支持政党を示したのが表2－1になる。

このうち大多数を占めるデモ経験なし層（⑧）と比べると、経験者は男性が多く（第5章参照）、六〇代以上の比率も高い。大学卒や専門職の比率もやや高いが、それほど顕著というわけではない。男女比では、反原発デモのみ参加した新規層の⑥が特異で、唯一女性が過半数に達している。原発事故が「目覚まし時計」だったという

第1章の主張は、属性からも裏づけられる。ただし、⑥は大卒の比率が低い一方で専門職の比率が高いという点で、都市部の環境運動の典型的な担い手像といってもよい。

違いがより目立つのは、立憲民主・社民・共産党支持者の比率であり、デモ経験なし層の九%に対して経験者では三〜六割に達していた。その意味で、社会的属性よりもイデオロギー的な差をみた方が、デモ参加者の特徴が明確になる。

それを示したのが図2－3であり、デモ未経験の⑧とデモ経験者の差は大きい。反原発・反安保デモともに参加していないベテラン①でさえ、左派を自認する比率は三八%で、未経験者⑧の一四%とは格段の差がある。ただし、震災前にデモに参加した経験がなく反原発デモにのみ参加した⑥だけは、立民社共支持者の比率も、自らを左派とする人の比率も三割にとどまり、未経験者に近い特徴を示す。また、反原発にのみ参加した⑥は、左でも右でもない（どちらともいえない）層の比率が一番高いので、「右からの脱原発」というわけでもなく、政治全般に対して受動的だった人たちとみた方がよい。

こうした像に合致するのは、どのような人々なのか。たとえば以下の女性は、立憲民主党を支持しているが、自らを保守ともリベラルともいえないと答えており、選挙以外の政治には関わってこなかった。

原発が危険だということを知らなかった、東電、政府にだまされた、という話をよく聞いた。

図2－3　参加類型とイデオロギー

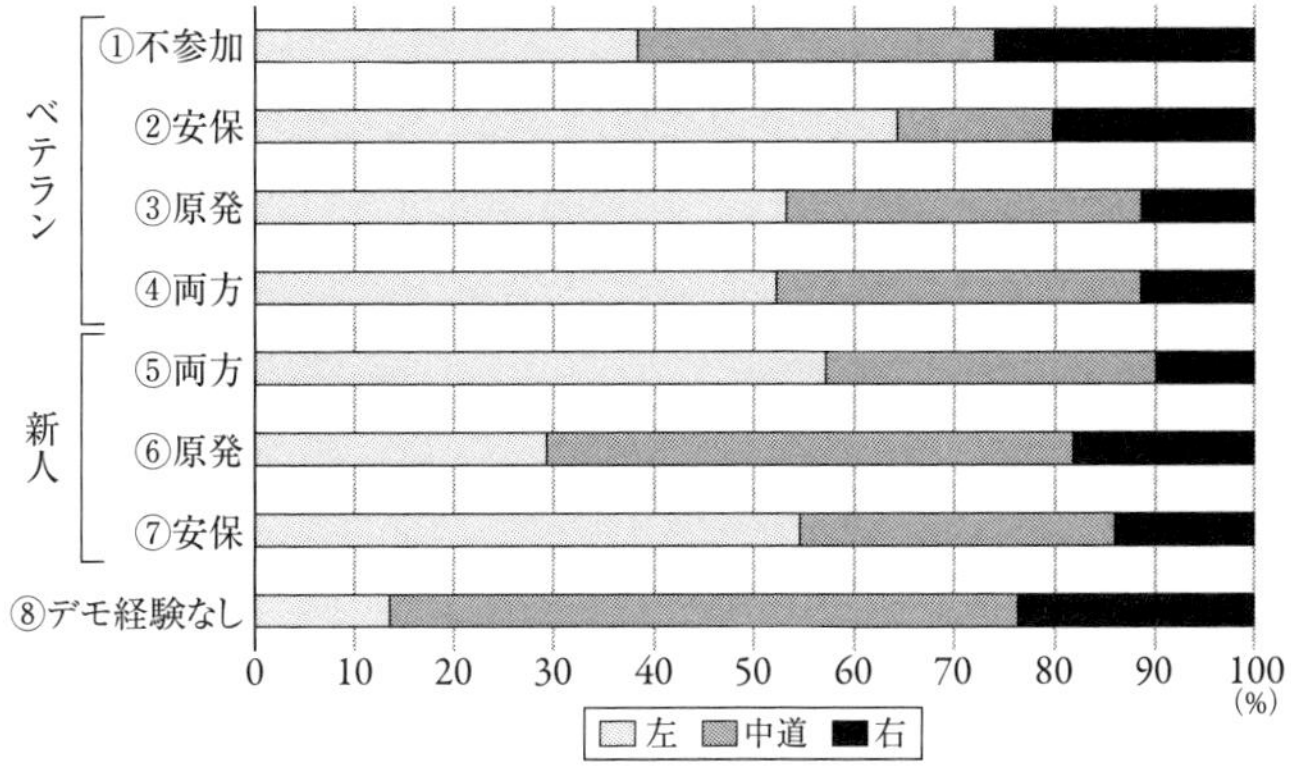

私は原発の危険さを充分知っていたし、私の知り合いには原発反対の活動をしている人もいた。なのに、何も行動せずにいたことを深く悔やみ、せめて一度くらいは意思表示をしようと思って新聞記事に掲載されていたデモに参加した。（五〇代女性）

彼女のような人にとって、そうした自らの無念を晴らす場としてデモは存在していた。情報源として頼りにしたのは新聞記事で、恐らく首相官邸前のデモがピークを迎えた時に参加したのが、最初で最後のデモ経験となった。

こうした人たちが運動から手を引いていくのは、ある意味で自然なことともいえるが、それでも反安保法制の大波が生じたのはなぜだろうか。図2－3からわかるように、⑥以外の参加層では左派が過半数を占めている。すなわち、反安保運動の発生に際しては、経験者、未経験者を問わず、反安保デモのみ参加者の存在が重要になるが、反原発のみの人たちに比べて左派色が強いという点に特徴がある。では、なぜ反原発デモではなく反安保デモに参加したのだろうか。以下の男性にみるように、若者が訴える姿に心を動かされた「SEALDs効果」が一つの説明になる。

> 過去に、同様の運動に参加した経験から、できるだけ若い人たちを応援したい。…若い方たちが、単なる流行ではなく（流行でも良いのだが）増えてきているのが素晴らしい。（六〇代男性）

六〇代以上の比率は、反安保デモにのみ参加したベテランがもっとも高く、その意味で「シニア左翼」という捉え方は、[2] 反原発運動よりも反安保法制運動によりあてはまる。ただし、高齢層だからデモに参加しやすいと考えるのは早計で、年代とデモ参加経験の関係を検討する必要がある。というのも、私たちのデータで震災以前にデモに参加した経験があるのは、五〇代以下で二％程度なのに対し、六〇代以上では七％に達していたからである。すでに述べたように、震災前にデモに参加した経験があるベテランは、震災後にも活発にデモに参加していた。つまり、高齢層ではベテランが多く、デモに抵抗がないからこそ、多くの人がデモに参加し得たと考えられる。

実際、デモ経験者に限定してみると、もっとも活発にデモに参加していたのは三〇代以下の人たちで、高齢層の参加比率はむしろ低い（これは、健康上の理由でデモに行けない人が多いことも関係している）。ベテランの多さゆえに高齢層が目立つだけで、より活発にデモを担っているのは若年層とみた方がよい。その意味で、過去のデモ経験という「貯蓄」を小出しにした結果が「シニア左翼」の一側面でもあり、あまり過大視しない方がいいだろう。

これまで、三・一一から反安保法制運動までの四年半を駆け足で振り返ってみた。第1章でみたように、原発事故は目覚まし時計となって人々を街頭へと駆り立てた。その象徴となるのが、反原発デモのみに参加した新規層であり、左派色が弱く女性が多いという特徴がある。そうした人たちがデモの舞台から退出する代わりに、ベテラン、新規層を問わず「眠れる左派」が参入したことで、再び大規模なデモが可能となった。反安保法制運動の段階で左派色が強まったわけであり、これは通常なら左派が弱い（データでは左派一五％、右派二四％）日本で大規模デモを難しくする要因となる。しかし、すでにみたように、反原発デモに参加した新規層の半数は、反安保デモにも参加した。反原発運動がもたらした「貯蓄」により、反安保法制運動に際してもデモに心理的な抵抗のない一群の人たちが参加し続けたことで、同規模のデモが可能となったのである。

3　なぜ参加するのか――デモと社会意識

①三・一一後を生きる――震災の影響の持続

震災と原発事故が反原発運動を生み出したということは、直感によっても、データからでも、容易に理解可能だと思われるだろう。震災の影響といえば、一般には次に示す女性のような経験を想起するのではないだろうか。この女性は無党派で、デモに参加した経験もなく、自らをやや保守的だと思っていた。

茨城よりの千葉在住ですが、震災の影響がありました。…両親とも福島出身で親戚も全員福島です。どれだけの事だったのか見聞きしています。その後も数カ月子ども達を預かりました。何かあったら一般市民は見捨てられるんだということがよくわかりました。（五〇代女性）

彼女は、「デモに参加しても変わらないと思いますが、心情的に参加せずにはいられませんでした」という。実際、福島県とゆかりのある人は、反原発デモに参加する傾向があった。しかし、震災および原発事故から強いショックを受けたとしても、その影響が今後も変わらず続くとは言えない。実際、首都圏では震災の経験が急速に風化している。自由回答においても一七名が「風化」という言葉を用いていたが、実はこれには二つの意味合いがある。

第一は、震災の影響が弱まるという、先述した意味での用法で、たとえば以下のように使われる。「東日本大震災の影響はまだ続いているが、現場から離れると風化が進んでいる」（六〇代男性）。第二は、震災を契機に生まれた社会的関心を維持すべきという意味合いで、次のような意見に体現される。「自分も含めて政治や社会に関心を持って、考えて行動する人が増えたと思うしこの流れを風化させてはいけないと思っている」（二〇代男性）。

二つの「風化」のうち、第一は反原発デモに、第二は反安保法制デモに対応しているようにみえるが、実際はそれほど単純ではない。反原発デモがピークに達したのは、原発事故から一年四カ月が過ぎた二〇一二年七月だった。これは、福井県にある大飯《おおい》原発の再稼働決定を受けてのことであり、首都圏も影響を受けた原発事故が直接的な引き金となったわけではない。デモは、事故の教訓を生かさず大飯原発の再稼働を決めた政府に抗議するために生じたのである。これは、首都圏在住者の多くが、日常生活よりも基本政策の問題として原発事故を考えるようになっていたことを示す。

そうであるとして、反安保法制運動に対して震災は、どこまで影響を及ぼしたのだろうか。時間的経過を踏まえれば、二〇一五年時点でも強い影響を持っていたとは考えにくいかもしれない。だが、結論からいうとそうではない。個々人の日常生活に対する影響と同等あるいはそれ以上に、震災や原発事故への政府等の対応の仕方に対する憂慮が、デモへの参加と関連していたからである。これは、災害や事故そのものへの反応というよりは、災害や事故をさらに生み出しかねない状況に対する異議申し立てとしてのデモを生み出す。――以下のデモ参加者の語りにおいて、「政府」「推進した連中」が明確な敵手として現れていることが端的に示すように。

地震国であり、福島の災害も収まっていないのに、原発推進の姿勢を政府が変えなかった。政府も東電も原発を推進した連中が誰一人責任をとらない姿勢に憤りを感じたため、少しでも自分の意見を主張するために参加した。（四〇代女性）

つまり、震災の直接的・間接的な影響が、「風化させてはいけない」という抗議の波をそれぞれ作り出したのである。この点について、震災の影響に関する回答を因子分析という方法で、個人的影響と社会的影響とに分けた図2－4をもとに考えてみよう。日常生活や仕事上の支障といった個人的影響と、環境破壊や政治の劣化といった社会的影響のそれぞれについて、数値が大きいほど影響を強く認知したことになる（変数の詳細は補遺を参照）。

図上のゼロは全体の平均で、デモの経験がない⑧の値はほぼゼロに近い。それ以外の七つの類型を合わせても全体の三・七％に過ぎないが、震災後のデモに参加しなかったベテラン（①）であっても、デモの経験がない⑧よりも、影響を強く認知している。これは、不参加のベテランを含め、デモに参加した経験のある人が、とりわけ影響を強く受けたことを意味するわけではない。デモへの参加経験のある人は、権利意識が高く、社会的な関心が強い傾向にあるため、世の中の矛盾を敏感に察知するのだろう。その意味で、デモに参加するような人は影響を強く認知し、それゆえ何らかの行動の必要性を強く感じたと考えられる。

実際、調査結果をみると、震災から受けた個人的な影響よりも、社会的な影響に対する認知の方が、デモへの参加と強く関連している。震災によって政治や社会が危機に瀕していると感じることの方が、デモの参加へと人々を駆り立てていたのである。こうした傾向が、震災前にデモに参加した経験のない人の方が顕著であるのは、ベテランと新規層では、デモに参加する際のハードルの高さが異なることによるのだろう。デモに参加した経験のあるベテランは、それほど強いショック（＝影響認知）がなくても、デモという手段をとることができる。しかし、参加経験がない新規層にとっては、ベテランの人たちよりも強いショックがないとデモに足を向けるには至らない。

図2－4　震災の影響に対する認知

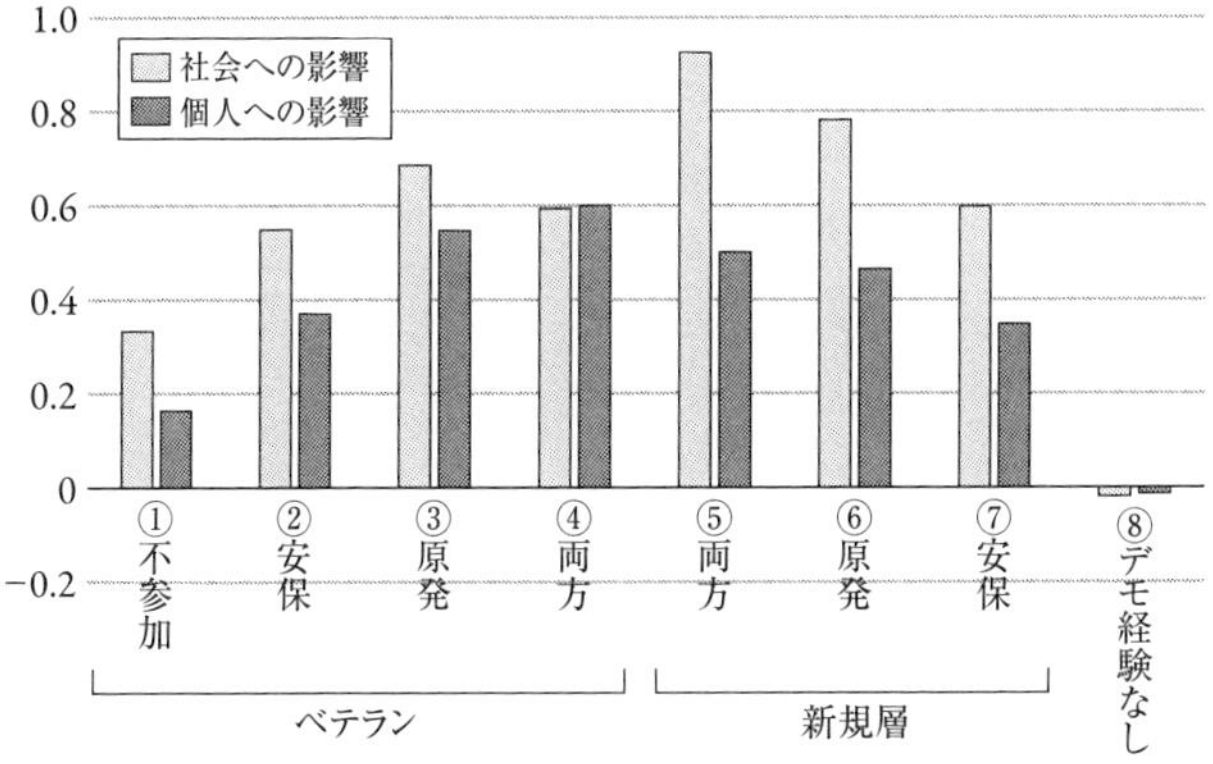

　震災からの影響の認知は、反原発デモのみの参加者だけでなく、反原発デモに行かなかった人たちに対しても、——関連は弱くなっているが——デモへの参加と関連している。震災や原発事故とは直接関係のない争点であるにもかかわらず、震災からの影響は、反安保デモに参加する際の促進要因となったのである。これは、他の要因からの影響を差し引いても残る効果であり、四年の歳月を経てもなお震災の経験が生き続けていたことになる。

その意味で、意思決定の場たる東京が震災の影響を受けていたことの意味は大きい。仮に首相官邸や国会が福島から遠く離れた大阪にあったならば、二度の大規模デモは起きなかったかもしれない。

しかし、震災からの影響だけでは説明できない点も残る。反原発デモにのみ参加した人と両方とも参加した人を比べると、震災の社会的影響と個人的影響の双方について大きな違いはない(図2-4)。では、何が両者を分かつのか。「東電と国の事後対策に生まれて初めて感じるほど強い怒りを感じたから」という五〇代女性は、一度だけデモに参加して「参加者の態度に疑問を感じるようになりやめた」という。彼女は、「日本のデモは形骸化していて効果がなく背後にある団体や政治家に利用されているだけのように感じた」が、そうした違和感の有無を、第2節では左派志向の強弱という点から説明した。しかし、左右を分かつ要素は複数存在しており、何がデモへの参加・不参加を生み出したのか、次項でより詳細にみる必要がある。

②デモ参加者を分かつもの——社会意識における分岐点

震災の影響に対する認知と同様に、因子分析を用いて価値観を変数化し、参加パターンごとの違いを図2-5に示した(変数の詳細は補遺を参照)。デモに参加した人たちの平均は、すべての類型で全体よりリベラルとみなしてよい位置にある。だが、そのなかでも、参加に与える影響が弱い価値観や、参加パターンによって異なる立場があった。この相違点に着目し、何が参加・不参加の違いを生み出したのか、その要因を見いだしていきたい。

　まず、日本の政治的対立をみるうえで最重要な要素とされてきたナショナリズムは、デモ参加にもっとも強くかかわっている。ここでいうナショナリズムとは、具体的には愛国心、教育、国旗・国歌への態度を指しており、原発や安保法制と直接関係するわけではない。しかし、これは原発や安保政策にも通底する大きな対立軸となってきた。それゆえ、図2－5で取り上げた要因のなかで、もっともデモ参加との関係が強いのだが、反原発デモのみに参加した③⑥は、少々異なるパターンを示す。両者とも、全体よりも反ナショナリズムの側にあるものの、両方のデモに参加した人や反安保デモのみの人たちに比べると程度が弱い。

　同様の傾向は、経済的自由主義についてもみられる。経済的自由主義とは、福祉よりも自助、再分配よりも格差と競争からなる社会を望ましいとする価値観で、ナショナリズムに次ぐ対立軸をなす。これについても、デモ未経験で反原発デモにのみ参加した⑥において、ナショナリズムほどの差ではないが他より弱い。このような体

図2－5　デモ参加者の社会意識

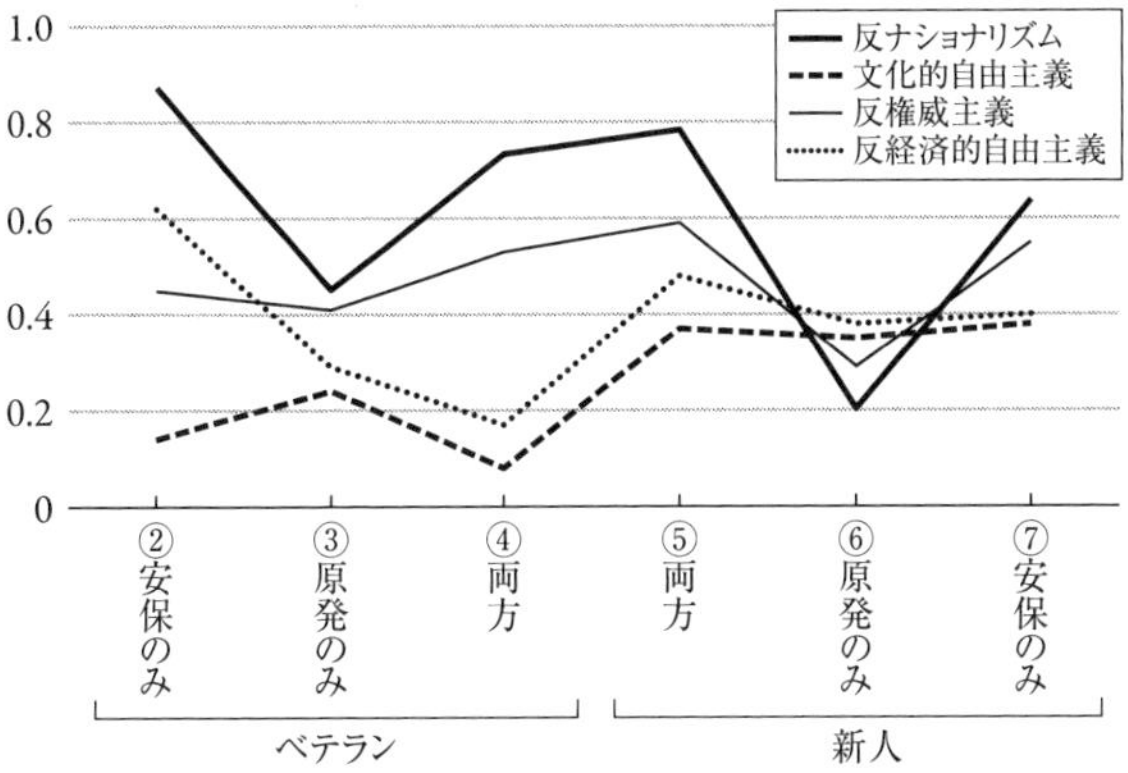

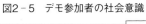

制そのものに関わる要因において、反原発にのみ参加した人たちは、不参加の人たちの価値観に近く、それゆえ反安保デモには参加しなかったと考えられる。

震災前にはデモの経験はないが、震災後に両方のデモに参加した男性は、「おかしなことを進める政権にじっとしていられなかった」（五〇代男性）から反原発デモに参加した。彼は、「原発政策も安保も秘密保護法もひとつの悪のパッケージだということで友人に誘われ」て、反安保デモにも参加したという。この男性の場合、ナショナリズムを強く嫌悪しているからこそ、友人の論理を受け入れたのだと思われる（他方で、友人からの勧誘があったわけだが、これについては第4章で論じる）。両方のデモに参加する人は、反ナショナリズムゆえに、言い換えると、運動とイデオロギーが近いがゆえに、抗議行動に足を運び続ける。それに対して、反原発デモにのみ参加する人たちは、ナショナリズムに対して強い嫌悪感を持たず、原発と安保法制を結びつける論理を「政治的」ととらえて距離を置くのだろう。

それと対照をなすのは、反安保デモにのみ参加したベテラン（②）であり、反ナショナリズム的意識がもっとも強いだけでなく、反権威主義の度合いも突出している。震災以前にはデモに参加したことがなかったある女性は、反安保法制デモに参加した理由について、次のように説明している。

日本が軍隊を持つということに対して、政府が「説明」しておらず…市民がないがしろになっている。日本は安倍さんの持ち物ではないという憤りと、政府に気づかせたいという思い。
（五〇代女性、反安保デモのみ参加）

こうした回答は、反原発デモではほとんどみられないが、反安保法制デモへの参加理由としては一定程度みられる。

このように、ナショナリズム（関連は弱まるが、経済的自由主義、反権威主義も同様）は特定の参加パターンと関連しているが、文化的自由主義についてはそうした傾向がみられない。ここで文化的自由主義とは、同性愛や夫婦別姓、伝統的家族に対する態度など、生き方の自由に関する価値観を指す。図２－５をみると、すべての類型が家族や性のあり方の変化を肯定する側にいることがわかるが（文化的自由主義にポジティブに反応）、全体としての関連は一番弱い。ＬＧＢＴという言葉が急速に認知され、政策課題として重要になりつつあるが、文化的自由主義は他の要因とは異なり、デモ参加を促進するような要因にはまだなっていないということだろう。

4　デモへといざなう仕掛け――集団加入の効果

前節までは、社会的属性や意識との関連でデモ参加を説明してきたが、運動に近い意見を持つ人がすべてデモに参加するわけではない（第６章参照）。単に共感を持つだけでなく、自らが実際に参加する場としてイメージできる形で、デモと出会う必要がある。メディアや口コミの直接的な効果については、第3章や第4章で詳述するため、ここでは反原発デモと反安保法制デモの比較に限定して議論したい。その際、人々をデモへといざなう中間集団への加入とデモ参加の関係について、図2−6と図2−7をもとにみていくこととしよう。

　この二つの図は、デモに参加しやすくなる倍率を示すオッズ比の値により、特定の集団への加入とデモ参加との関連を示したものである。[3] オッズ比が一未満だとデモに参加する確率は低くなり、一より大きいと高くなる。たとえば、図2−6に示されているように、労働組合員で過去にデモに参加した経験がある人の場合、反安保法制デモだけに参加するオッズ比は〇・九となり、わずかながら参加を押しとどめる方向に作用する。

　図7の新規層に比べて、図2−6のベテランのオッズ比は、全体的に低い。そもそも、ベテランのデモ参加率は三分の一と高いため、労組などの集団に参加したから倍率が格段に上がるわけではないためである。逆に、新規層でデモに参加した人は〇・八%しかいないため、中間集団を通じてデモへといざなわれる余地が大きい。

　労働組合に話を戻そう。労組加入はベテラン・安保のみ以外のデモ参加を促進しており、オッズ比は一・三〜二・〇となるから、組合員の場合、デモに参加する確率はそれなりに高くなる。特に、新規層をデモにいざなう機能を果たしており、両方のデモに参加する確率は二倍になる。実際、自由回答をみてみると、デモ参加のきっかけとして「労働組合の要請」「組合の動員」を

図2－6　ベテランにおける集団加入とデモ参加の関係

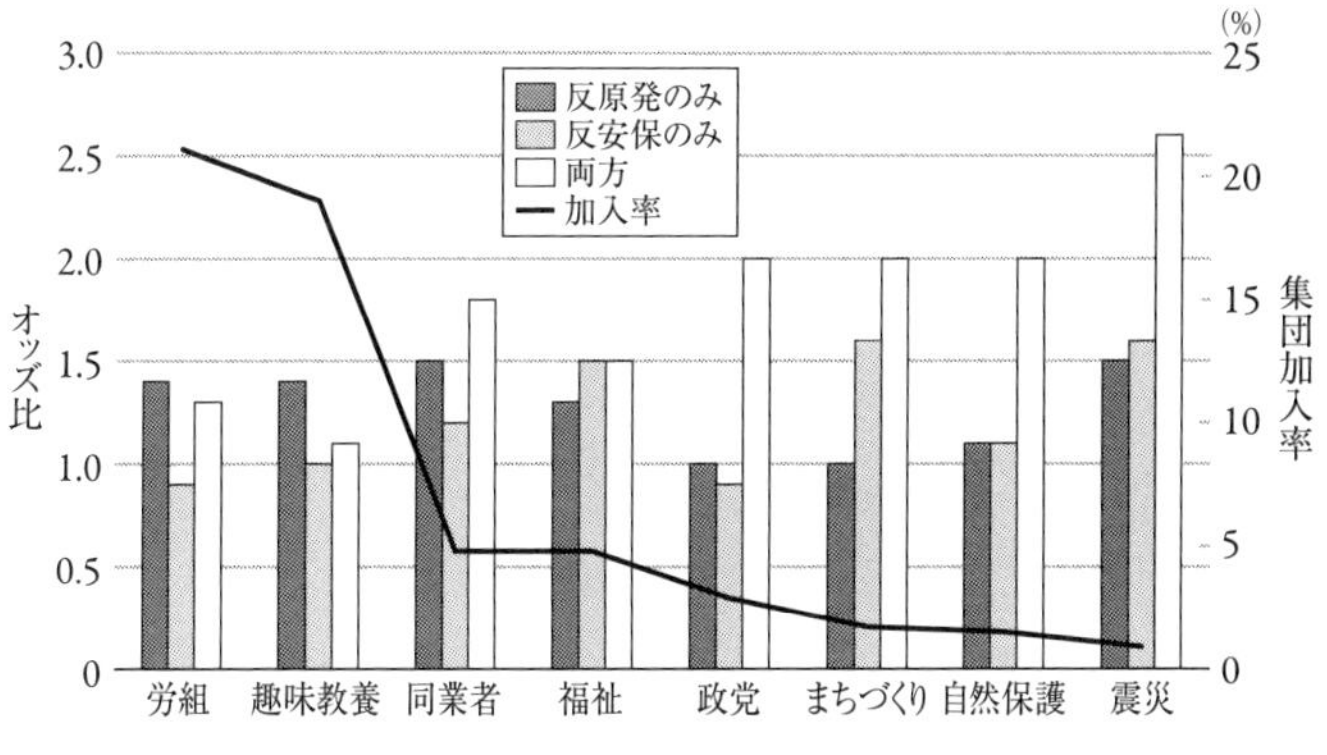

図2－7　新規層における集団加入とデモ参加の関係

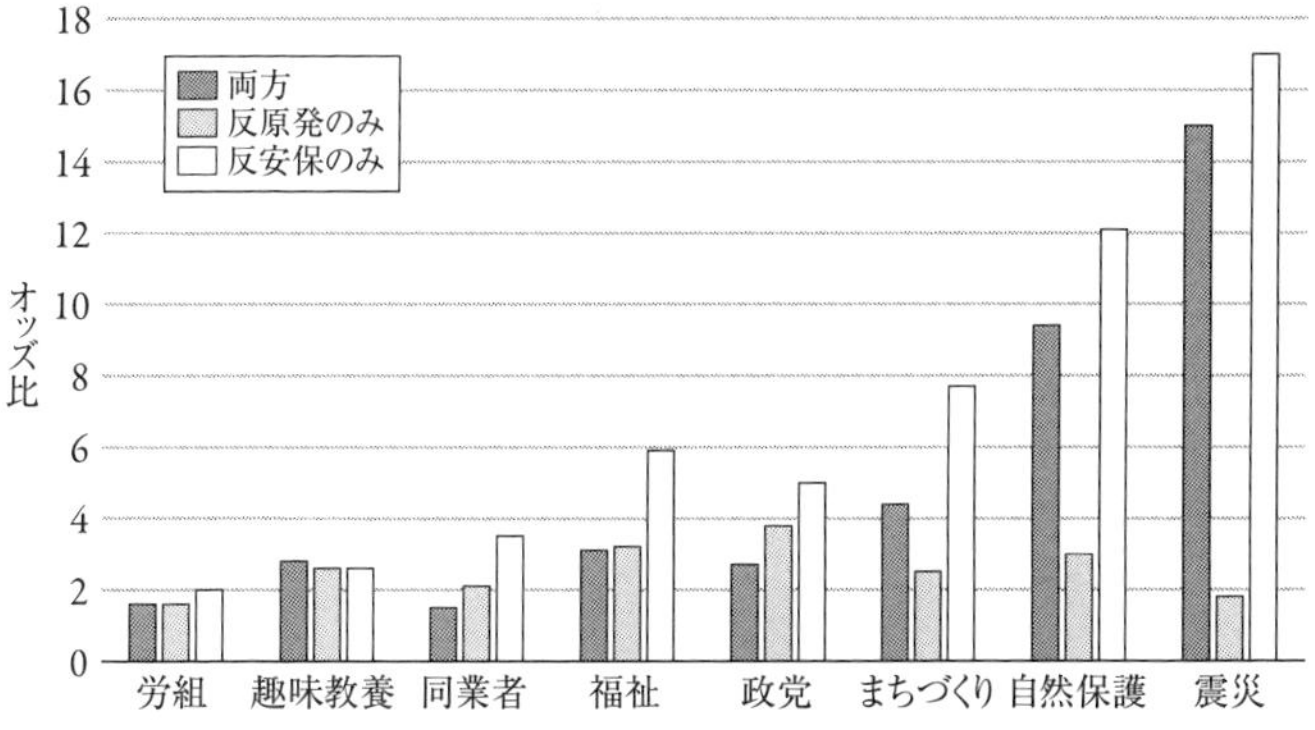

挙げている人は、中間集団に関する記述の中で際立って多い。しかし、図に示されているように、他の団体と比べてオッズ比が高いわけではなく、むしろ低い部類である。

どういうことだろうか。デモの現場に行くと、労組の存在感は確かにあるのだが、それは他の組織と比較して加入している人が多いからである（図2－6では二割が加入）。数値をみる限り、労組が組織としてフル回転しているとはいいがたく、割当に応じてデモに何人か派遣する程度の関わりであることが透けてみえる。だとしても、労組はその巨大さゆえにデモの現場で存在感があるのだと考えた方がよい。

労働組合に匹敵する参加率を示すのは、回答者の一九％が加入する趣味・教養のサークルくらいしかない。サークルは、ベテランについては労組と同程度、新規層については労組より活発に、メンバーをデモへといざなう機能を果たしている。これは、サークルが組織ぐるみで参加するというよりは、社会活動を活発に行っている人が多いこと、そうした人が集まることで、デモの情報も得やすくなることによるだろう。

このように、社会集団への加入は社会運動への参加を促進すると一般にはいわれているが、その効果は運動や参加の仕方によって異なる。諸集団の中で、デモへの参加率が一〇倍以上になるのは自然保護団体と震災関連の団体であるが、活動目的からすれば当然の結果だろう。両者に加入している人は、それぞれ回答者の一・五％と〇・九％に過ぎないが、デモ参加に関してみれば「少数精鋭」の集団といってよい。さらに、デモの目的とは直接関係のない同業者団体や福祉ボランティア、まちづくり組織も一定の基盤となっており、同業者団体を別にすれば、「お連れ様」「団体様」（第4章参照）のデモへの参加を促している。

ただし、反原発デモに際してフル回転する団体がある一方で、反安保デモについてはそうとも言いきれない。図2‐6・7をみると、ベテランに対してはまちづくり団体が、新規層に対しては政党・後援会が、それぞれ反安保デモのみの参加をやや強く促すものの、効果はそれほどでもなかった。

これは、やや意外な結果である。福島原発事故後に原発再稼働を進めたのは当時与党だった民主党であり、最大野党の自民党も原発推進派だった。つまり、政党政治をめぐる対立軸にならなかったわけで、それゆえ反原発市民 vs. 国家（与党も野党もグルだった）という対立図式で理解することが可能だった。反安保デモに際しては、ほとんどの野党が反対にまわっており、与党 vs. 野党＋市民という構図となって、政党間対立の性格が強い問題として理解された。反原発デモにのみ参加した人はこうした政治色を嫌って、反安保法制デモには距離を置いた。反安保デモにのみ参加した人たちが、左派的な傾向を強く持っていたことは、すでにみた通りである。

しかし、ここでいう左派とは、旧革新勢力に動員された人々を指すのではないことを、図2‐6と図2‐7は示す。反安保デモに新たに加わった人たちは、むしろ社会集団とは関係なく、自らの思いで参加したという特徴を持つ。実際、反安保法制デモへの参加者では「おひとり様」の比率が高かったのである（第4章参照）。

5　抗議の波の継続――まとめと今後の課題

冒頭の問いに戻ろう。三年の時を隔てても抗議の波が持続し得たのはなぜなのか。第一かつ最大の要因は、反原発デモそれ自体が運動の基盤として定着し、反安保デモを生み出していったからである。デモに対する感情については第6章で検討するが、反原発デモは、後続するデモの芽をつぶすような忌避感を残さなかった。いや、まったくなかったわけではなく、自由回答の中にも以下のような記述は散見されたのだが、比率としては低かった。

僕も原発は止めるべきだと思ったから参加してみましたが、何度か参加してみてその場に集まっている群衆をモニタリングした結果、これで成せる事は少ないと判断し、参加する事はやめました。今後、何かのデモに参加する事はしないと思います。（三〇代男性、震災後初めて反原発デモのみ参加）

社会運動に対する嫌悪感がしばしば取りざたされる日本にあって、反原発デモが次のデモにつながる形で展開したことの意味は大きい。第二節でみたように、ベテランの八割以上、新規層でも五割近くが、反安保デモに続けて参加していた。第6章で論じるように、反原発に比較して反安保法制を支持する人々の比率は低く、その裾野はかなり狭い。にもかかわらず、同規模のデモが可能になったのは、まずもって反原発デモから継続して参加した人が多かったことによる。もちろん、反原発という争点に限定して参加した人の多くは、その後のデモに加わることはなかったし、それがイデオロギー的にみて理解可能であることも論じてきた。他方で、反原発デモにのみ参加した人たちが継続して参加しなかった分を補う形で、反安保法制運動から新たにデモに参加する人たちが現れたことで、同規模のデモが再び可能になった。

反安保デモについては、国会前で野党議員が並んで演説するなど、既存の政治勢力が存在感を増しているようにみえた。しかし、このような組織とのつながりが弱い新規層は、むしろ反原発デモの参加者よりも多かったのである。こうした参加者は、組織的なつながりこそ欠いていたものの、イデオロギー的には左派で運動との親和性が高かったことにも注目すべきだろう。つまり、反原発デモに際しては、左派ではないが原発という争点に反応した層も参加していたのに対して、反安保デモに際しては、ベテランに加えて左派の新規層が「いざ鎌倉」と馳せ参じたのである。その意味で反安保法制運動は、左派組織によって主導されたというよりも、こうした組織への加入を問わず、左派を広く糾合した運動だったと言い得るだろう。

最後に、東日本大震災の影響は、反原発デモのみならず反安保法制デモにも及んでいたことに触れておきたい。これは、原発事故が個々人にもたらした恐怖心の反映というよりは、震災の教訓を生かさず、たとえば大飯原発の再稼働を政策決定するような政治への怒りという側面が強い。

問題の原因を政治に求め、その解決にデモという方法を選ぶという点で、反安保法制運動は反原発デモの遺産を継承したのである。だが、震災の影響がいつまでも続くわけではない。三・一一は、反安保法制デモに至る一連の抗議行動を生み出したが、これをもって日本は、抗議活動が日常的に行われるような「社会運動社会」[4]へと転換していくのかどうか。社会運動の「左旋回」は、果たしてどのような帰結をもたらすのか、以下の章を通じて考えていきたい。

1——もともとは、二〇一三年に活動した「特定秘密保護法に反対する学生有志の会」のメンバーが中心に組織したグループ。ラップ調のコールを取り入れるなど、安保法制に反対する新しい若者運動を体現する存在となった（SEALDs編『民主主義ってこれだ！』大月書店、二〇一五年。高橋源一郎・SEALDs『民主主義ってなんだ？』河出書房新社、二〇一五年）。

2——小林哲夫『シニア左翼とは何か　反安保法制・反原発運動で出現——』朝日新書、二〇一六年。

3——関連が薄い自治会、宗教、PTA、消費者団体（生協など）は分析から除いてある。

4——Meyer, David and Sidney Tarrow eds. 1998. *The Social Movement Society: Contentious Politics for a New Century*. Lanham: Rowman & Littlefield.

第3章

若者はSNSの夢を見るのか？

「運動を知らない」世代の運動参加

松谷　満

1 「若者の運動」という錯誤をこえて

三・一一後の社会運動には若者が多く参加した、という認識をいまだに持っている人がいるならば、すぐに改めた方がよい。確かに、反原発、反安保法制とも、デモ主催グループのいくつかは若者によるものだった。しかし、若者の参加が目立って多かったわけではないし、運動への関心も高くはなかった。

現代社会における若者は、おおよそ政治に無関心な存在として特徴づけられる。これは日本に限ったことではなく、先進資本主義諸国に共通する。経済発展で社会は豊かになったが、その分、社会との関わりかたが緩く、弱いものになってきたからだとか、さまざまな原因が指摘されている。

最近では、別の傾向も指摘されている。若者を中心に、権威主義的なものへの支持が強まってきているというのである。従来の政治は支持しないが、「民意」を実現すべく強い指導力を発揮するようなポピュリストには期待してしまう、といった風潮は、世界的にも強まっているようだ。日本では自民党を支持する若者が増えていることが注目されるような時代である。[1]

経済が好調だった二〇世紀のある時期には、それまでの政治に愛想をつかした若者が、むしろ政治への関心を強めており、新たなスタイルを模索しているのだといった議論があった。確かに、一九六〇年代以降、学生・環境・平和・女性運動が活発になり、緑の党のような新しい政党の台頭といった現象はあった。しかし、近年の調査では、そうした現象を支えていたのは戦後生まれの特定世代にすぎず、現代の若者の特徴ではないと指摘されてもいる。[2]

実際、若者がいかに政治から遠ざかっているか（脱政治化）、というデータを示しだすとキリがない。政治参加に意味を見いだせず、ゆえに参加することもなく、権威に従うことに違和感をおぼえなくなっている現代の若者が、「デモに参加しよう」と思う方がどうかしている。

仮に、政治に関心を持ち、何か行動を起こしたいという若者がいたにせよ、同世代の多くは、そうした若者に好意的ではない。年長世代と比較して、「運動」に対する若者のイメージはすこぶる悪い。私たちの調査によると、反原発運動に好感を持つ割合は、六〇代で四五％、七〇代で五一％であるのに対し、二〇代では一五％、三〇代では二〇％にとどまっている。反安保法制運動も同様で、六〇代が二八％、七〇代が三四％であるのに対し、二〇代では一〇％、三〇代では一三％となっている。こんな状況下では、行動を起こすことにためらいがあって当然である。[3]

にもかかわらず、それなりに多くの若者が反原発、あるいは反安保法制運動に参加したことは確かであり、筆者にとっては大きな驚きであった。シニア層に比べると少ないが、二〇代でも三〇代でも、一〇〇人に一人を超える人がデモに参加したと回答しているのだ（図3-1）。

では、どのような条件が整うことで、若者はデモ参加という思い切った行動に踏み出したのだろうか。この章では、年長世代と比較しながら、この問いについて、できるかぎり納得のいく答

図3－1　デモ参加率（年代別）

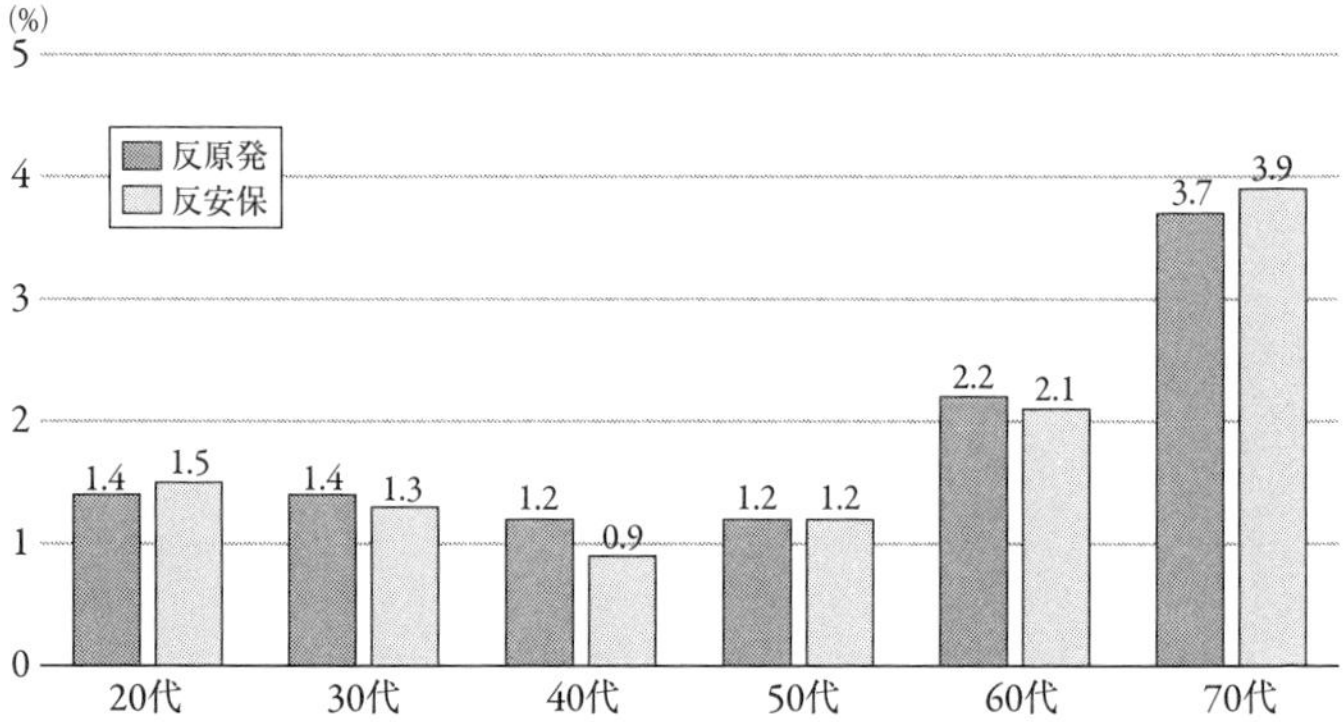

えを見いだすべく分析を試みる。[4]

2　若者自身が語る参加のきっかけと動機

まず、参加のきっかけと動機を、本人がどうとらえているのか確認するところから始めたい。運動の中心メンバーについては、多くの発言がメディアを通じて公開されている。[5]ここで注目したいのは、そうした主催者側ではないが、何らかの理由で関わることになった「一参加者」としての若者たちである。大多数を占める彼らの心情を理解することなくして、この運動を正しくとらえることはできないからである。

私たちの調査では、デモに参加した回答者に対し、「なぜ参加しようと思われたのか、どのようなきっかけで参加されたのか、できるだけ具体的にご記入ください」とたずねた。当然ながら、原発再稼働や安保法制への危機感、政治への不信感がその理由として語られることが多かった。

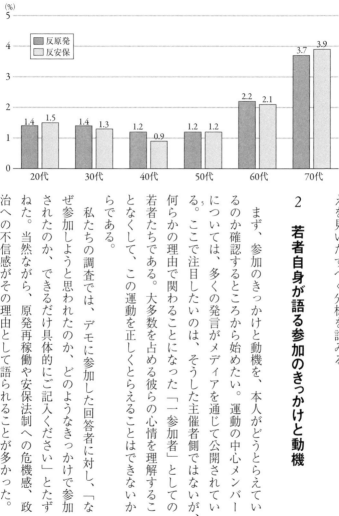

原発再稼働になんとなく不安を感じた。人々は、もっと電気やテクノロジーに頼らない心の豊かな暮らしを目指すべき。（二〇代男性）

この男性はネットの情報をみて、一人で複数回参加したと回答している。

福島の原発事故は人災だと思っているので、その防げた人災で誰のものでもない海や土地を汚したこと、海外に日本のイメージを悪くしたこと、放射能をコントロール出来ないことなどを踏まえ使うものではないと思いました。（三〇代男性）

この男性は、「運動は無意味」としつつも、政治に強い不信感をいだいているようだ。ＳＮＳをよく利用しており、その情報を頼りに一人で頻繁にデモに参加したと回答している。

戦争法案とも言われていて、日本が外国の戦争に参加して戦うようになったら、必ず日本も狙われるようになると思い、それはとても恐ろしいと考えた。（二〇代女性）

この女性は、反原発、反安保法制ともにデモ参加は一回だが、それ以外のデモや集会などにもたびたび参加していたようだ。

安倍首相の発言等から戦争をしたいようにしか思えず、法律を変えたらいつでも、戦争に突入できてしまうのではないかという指摘。また必要性がないと言われているのに強行《ママ》に法律を変えたがるあたりに不信感を感じる。（三〇代女性）

この女性は、誘われて官邸前・国会前のデモにそれぞれ一回参加した。ＳＮＳは時々する程度で、政治的な意見をやりとりすることはないという。

その一方、反原発・反安保法制とは直接関係のない理由を挙げる者もいた。「動員」である。

職場で誘われて仕方なく参加した。（三〇代女性）

この女性は、反原発運動自体には特に関心がなく、反原発、反安保法制とも、一回ずつのデモ参加であった。

出る人がいないので、頭数で。（三〇代男性）

この男性は、反原発、反安保法制とも複数回、デモに参加したと回答している。よほど動員数を気にする組合に所属しているのであろうか。

ただし、「動員」は数としてはそれほどではない。むしろ多いのは友人などからの「勧誘」である。この場合、「共感」をともなう場合が多い。運動の趣旨には賛同していたので、友人の誘いをきっかけに参加した、というのが標準的なケースである。他方、そうでない場合も少数ながらみられる。

友達がどうしてもと言うので仕方なく行きました。（二〇代女性）

友人が行くというので同行した。私自身、新聞・テレビ・インターネットの情報氾濫状態においてどれが正しいか、または正しい情報があるのか判断するリテラシーに自信がないので、デモ参加者にも意見を聞くつもりだった。（二〇代男性）

さらに、「共感」ではなく「興味」をその理由として述べる回答も意外に多い。

デモという現象に興味を持ったため、間近で見たいと思った。（二〇代女性）

この学生は、現象自体に関心があったという。インターネットの情報をもとに、一人で官邸前・国会前でのデモを「見学」に行った。

デモに参加したことがなかったのでほぼ興味本位で。（三〇代女性）

この女性は、一回だけ友人と反原発のデモ行進に加わってみたということだ。

ネットが炎上していたから。（二〇代男性）

この男性は、ほぼ毎日、インターネットでの他人の投稿にコメントを書いているという。

これらさまざまな参加のきっかけと動機を、「共感」「動員」「勧誘」「興味」という四つの分類でみた場合、若者の特徴をはっきりと確認できる（図3−2）。「共感」にあたる記述が少ない一方、「勧誘」「興味」が目立って多い。その傾向は反原発と反安保法制とでさほど違いはない。「勧誘」による参加は、回答者全体では一割台だが、若者では二割を超える。「興味」による参加は、回答者全体では五〜六％にすぎないが、若者では一割を超える。このように、若者は誘われて参加するケースが多い。また運動の趣旨に共感したのではなく、興味・関心にもとづいて参加した者が相対的には多かったのである。

では、参加動機の中でもっとも多い「共感」において、年齢層による中身の違いはあったのだろうか。このことを知るために、当事者が参加に至った動機をどのような言葉で語っているのか、自由回答の量的分析を試みた。[6] 使用頻度の多い名詞、形容詞、形容動詞に注目すると、全体の傾向としていくつかの特徴を指摘できる。

第一に、「安心（不安）」「安全（危険）」「怖い」といった、リスク認知にかかわる語句が多く用

図3－2　参加のきっかけと動機（4分類）＊重複あり

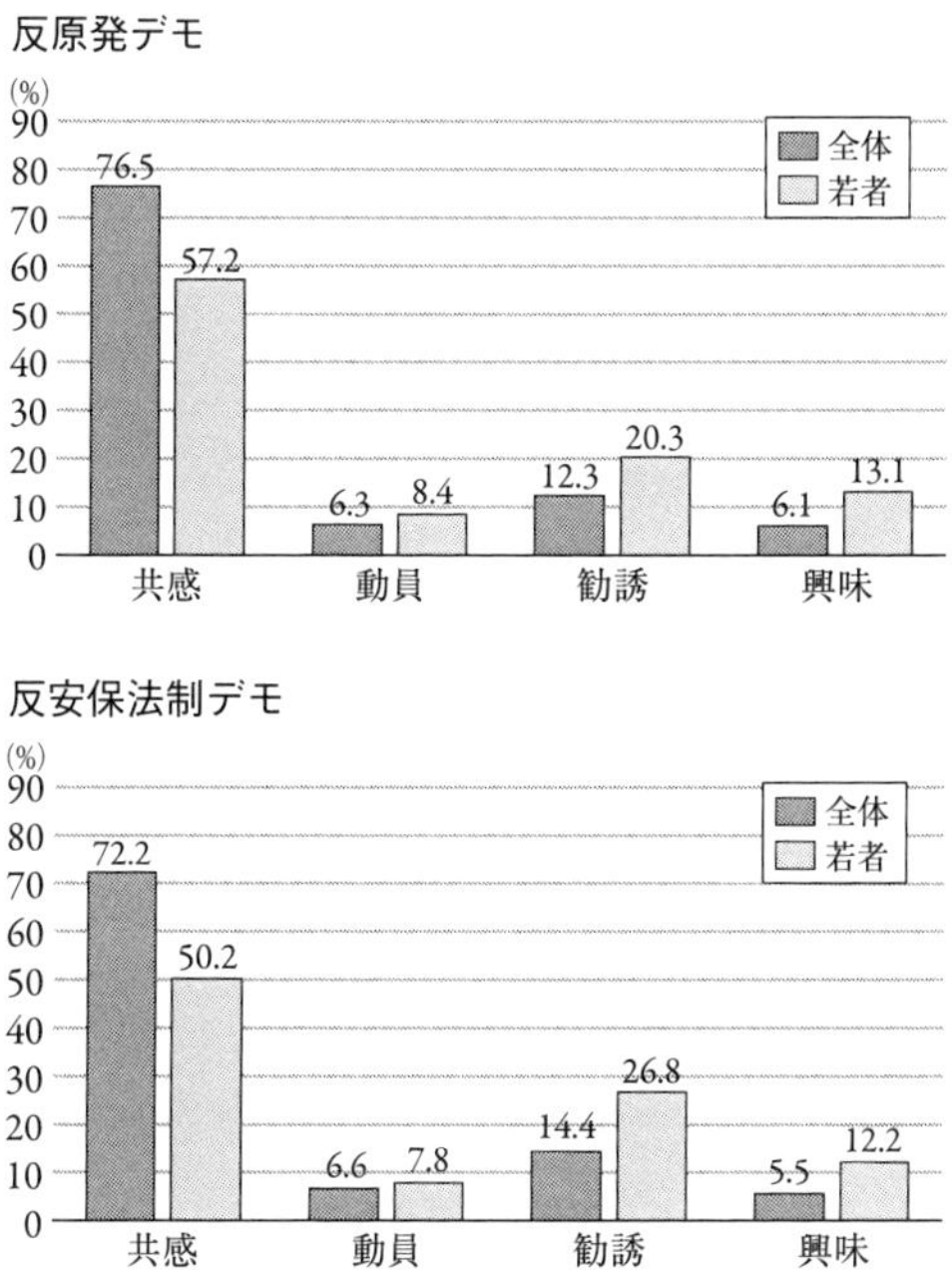

いられていることである。これは、反原発、反安保法制の両方で共通している。多くの参加者にとって、これらは「リスク」をめぐる運動だったのである。

第二に、「日本」「国」といった語句、あるいは「日本人」「国民」といった語句が多く用いられている。つまり、この運動は国（社会）の問題としてとらえられていたのである。

第三に、反原発運動と比べて反安保法制運動は、定型的に用いられる語句が多い。具体的には、「安保」「憲法」「アメリカ」「戦争」といった語句が頻出する。もちろん、反原発運動であれば「原発」は当然として、「震災」「環境」といった頻出語がある。ただ、反原発の場合、「原発は危ない→やめた方がいい」といった単純なパターンが多いのに対し、反安保法制運動の方は、より複雑な語句と用法がみられる。たとえば、ある六〇代女性は、参加の動機を以下のように回答している。

安倍晋三という政治家によって、自民党の良心ある政治家も消え去り、右傾化が進むばかり。米国の傘のもと、平和主義を標榜する矛盾に憤りを感じて。国会やメディアでの安倍晋三の発言や弱腰の自民党の良心的な政治家の沈黙に憤りを覚えた。また、平和主義を標榜する公明党の変質にも怒りを覚えた。

ここで指摘したような頻出語が、年齢層によってどう異なるのか、その関連をみた（図3－3）。

図3－3　主要な頻出語（年代別）

反原発運動

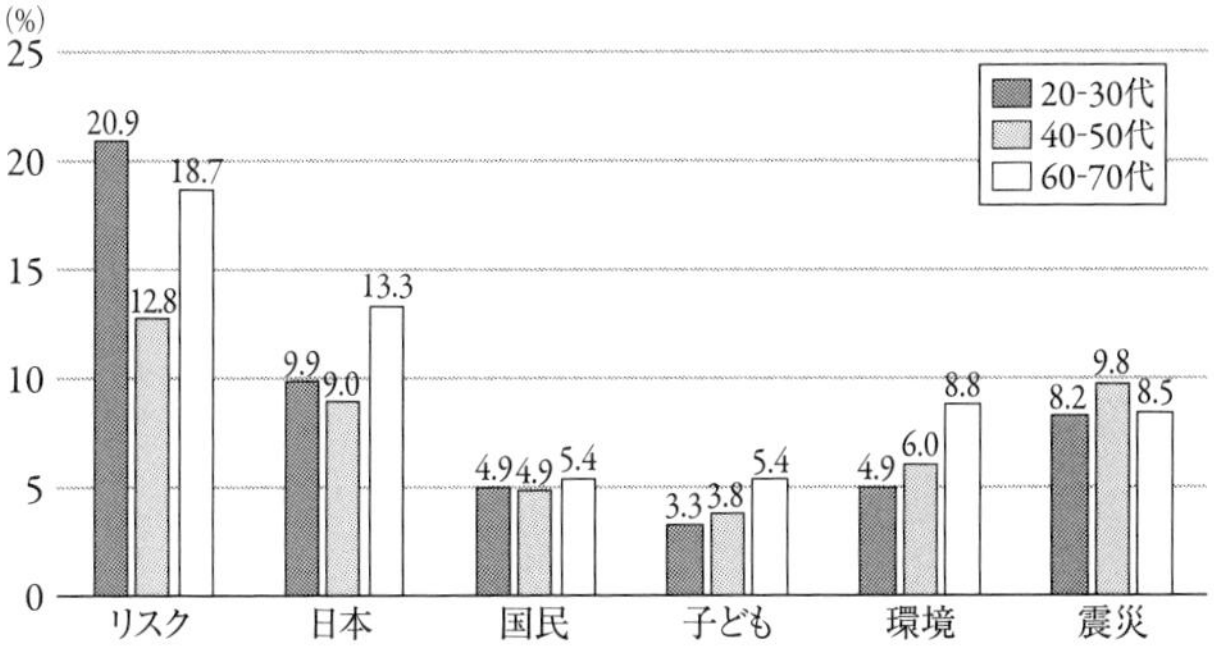

注：具体的なコーディングは以下のとおり。「リスク」：安全、危険、不安、怖い、安心、恐ろしい、危機、リスク、危ない、恐怖など。「日本」：日本、国、国家。「国民」：国民、日本人。「子ども」：子ども、孫、子孫。「環境」：環境、自然。「震災」：震災、災害、地震。

反安保法制運動

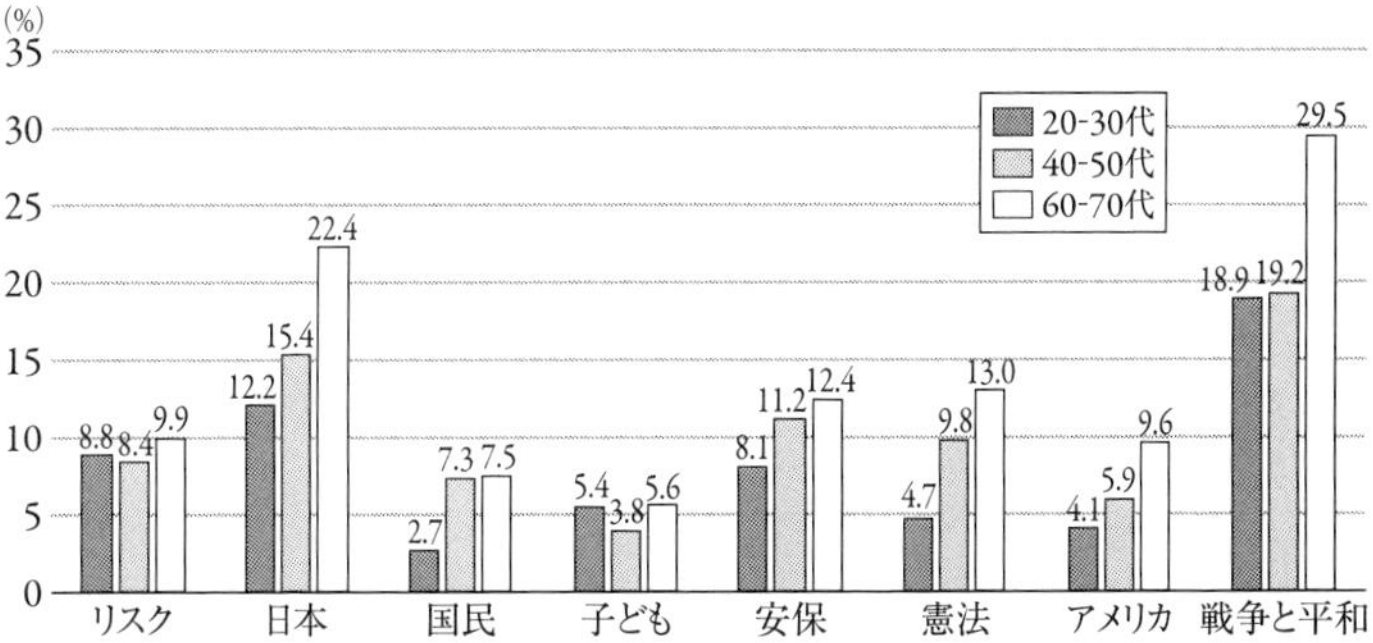

注：具体的なコーディングは以下のとおり。「リスク」「日本」「国民」「子ども」は反原発運動と同じ。「安保」：安保、安全保障。「憲法」：憲法、違憲、改憲。「アメリカ」：アメリカ、米国。「戦争と平和」：戦争、平和。

＊数値は、「共感」にあたる動機を述べた回答者において、その語が用いられた割合を示している。

参加動機に「共感」を挙げた回答に限定してみると、年齢による違いは、はっきりしている。「リスク」にかかわる語句をもちいる割合は、若年層（二〇―三〇代）と高年層（六〇―七〇代）でほとんど違いがみられない。その一方で、「日本」「環境」「憲法」といった、より社会的もしくは抽象的な語句の使用割合は、若者で少なくなっている。この違いは、先に指摘した安保法制にまつわる定型語において、より明確に見てとれる。

この違いは、若者の語彙が単に不足している、もしくは、調査に対し、長文の回答を返すほどの余裕や意欲がない、といったことに過ぎないのかもしれない。しかし、この結果からは、若者が、国家や社会の問題としてというよりも、より個人的で身近なリスクの問題として、運動に参加する傾向にあったのではないか、との解釈も可能である。そうしたことも念頭に置きつつ、次節では、若者の運動参加を可能にした条件を検討したい。

3 運動への参加を可能にした条件とは

前章までで指摘したように、参加者の多くは、過去に何らかの運動に参加した経験がある。第1章で述べたように、反原発デモの参加者のうち、東日本大震災以前にデモに参加したことがある人は六割を占める。また第2章で述べたように、反安保法制デモの参加者のうち、反原発デモも含めて、これまでデモに参加したことがある人は八割を超える。このように、過去の経験は、再び運動に参加するのを容易にする。ただ、デモ経験者の割合は、年齢層による大きな違いはなかった。反原発であれば、若年層（二〇―三〇代）で約六五％、中年層（四〇―五〇代）で約五八％、高年層（六〇―七〇代）で約六七％、反安保法制であれば、若年層および中年層でいずれも約八三％、高年層で約八七％である。

また、反原発、反安保法制の運動は、「左派」が中心となっていた。私たちの調査によると、自らを左派と認識しているのは全体の一五％であるが、運動参加者に限定すると、半数程度が左派である。特に高年層（六〇―七〇代）では左派が多く（同じく右派も多いのだが）、この年齢層では左派の参加者が六割を超える。一方、若年層（二〇―三〇代）では四割台にとどまっている（図3－4）。

図3－4　左派の運動参加者（年齢階層別）

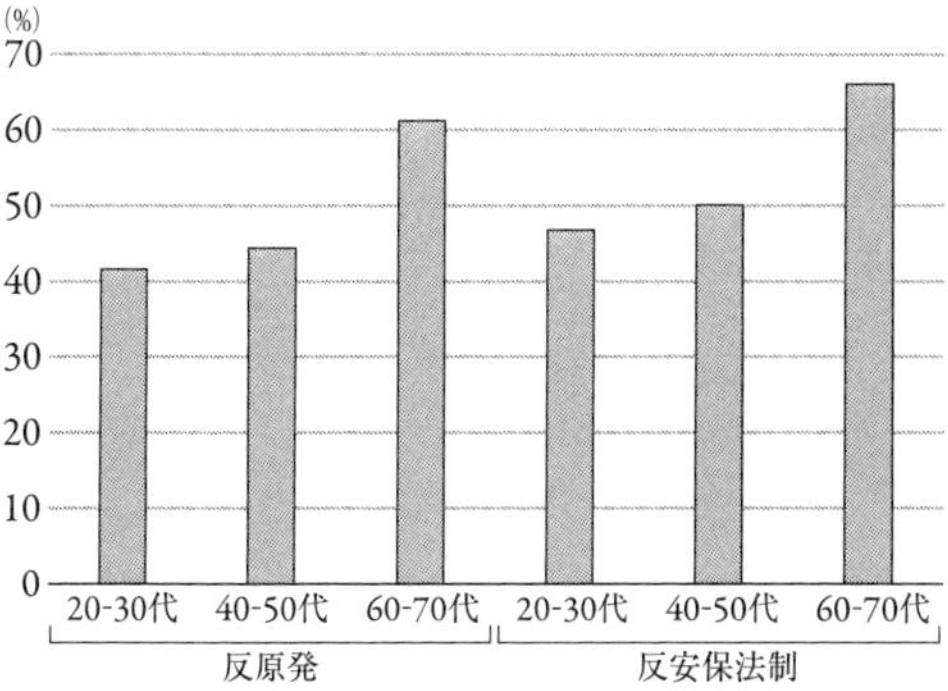

「過去の経験」と「左派であること」は、運動に参加する際の二大要因であるが、年長世代と比べて、「経験者」も「左派」も少ない若者の場合、これ以外に参加を促す要素があったのではないか。前節の自由回答による参加動機などを参考に、いくつか仮説を立てて、その検証を試みたい。

第一は、「勧誘」の影響である。先の分析では、若い世代ほど、「誘われた」ことを理由に挙げていた。年長世代は誘われなくても自分の信念にもとづいて参加しやすいが、**「若者では、『誘われること』がデモへの参加を促すより重要な要素となる」**のかもしれない（仮説1）。

参加するきっかけについて、選択肢で回答する質問のうち、「家族・友人・知人に誘われた」とする回答の割合をみると、反原発デモ、反安保法制デモ、いずれも年齢層による違いはなく、三割弱が「勧誘」の影響があったと回答している。過去の参加経験の有無を考慮した場合でも、年齢層による違いはみられない。よって仮説1は支持されない。

第二は、日常的な「参加」経験の影響である。先に、運動に以前参加した経験が再度の運動参加を促すことを確認したが、町内会やボランティアなど、運動以外の社会参加の経験もまた、参加を促す要因となっているのではないか。現代の若者の場合、家庭や学校以外の中間集団への参加経験が乏しいことが指摘されている。そうしたなかで、何らかの経緯で集団に参加している人の方が、運動にもより積極的に参加するのではないか。青年期は、政治に関する知識や態度を学習し身につけていく時期である。この時期、ボランティア団体などの中間集団に参加することが、社会への関心を強め、運動への参加を促すのではないか、という仮説である。**「若者では、『ふだんから集団に参加していること』が、デモへの参加を促すより重要な要素となる」**（仮説2）。

私たちの調査では、一二種類の団体・グループへの参加状況をたずねている。各団体に参加することによる影響がどの程度かをみるために、デモの参加確率を倍率で示すオッズ比をグラフに

図3－5　集団参加の有無による反原発デモ参加のオッズ比（年齢層別）

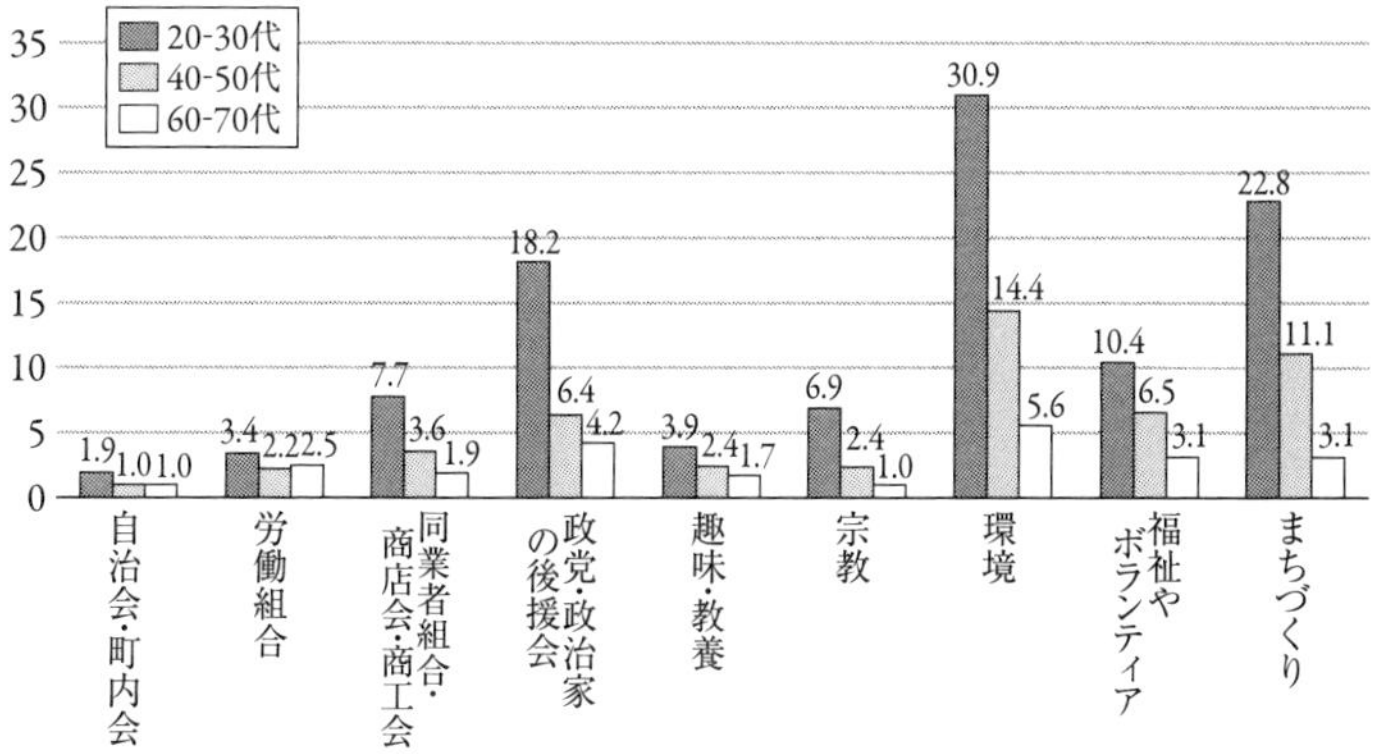

した（図3－5）[7]。たとえば、グラフの左端にある「自治会・町内会」をみると、これらの活動に加入している若者は、加入していない若者と比べて、デモ参加の確率は一・九倍であることがわかる。

この図からは、第2章第4節ほかでも確認できたように、中間集団への参加がデモ参加に全般的に影響していることが見てとれる。

そのうえで、若者と年長世代を比較すると、仮説通り、若者の方がより集団参加による影響が強いことがわかる。高年層（六〇―七〇代）の場合、町内会や宗教団体への加入は、グラフにあるとおり一倍なので、何の影響も持たない。

一方、若年層（二〇―三〇代）の場合、デモ参加の確率はそれぞれ一・九倍、六・九倍と、明らかに上昇している。他の集団に関しても、ほとんどの場合、若者が集団に参加することの効果は、年長世代のそれを上回っている。この結果から、**「若者では、『ふだんから集団に参**

加していること』が、デモへの参加を促すより重要な要素となる」という仮説2は支持されたといえる。

ただ、この結果については、別の解釈も成り立ちうる。因果関係が逆方向という可能性である。ある集団に参加したことによって、社会問題への関心が喚起されるのではなく、もともと社会に強い関心があり、積極的に行動するタイプの若者が集団にも参加し、デモにも参加する、ということなのかもしれない。もっとも、どちらの解釈であるにせよ、中間集団への参加と運動参加との関連は、若者においてより強く表れるとの分析結果は変わらない。

第三は、リスクに対する「不安」の影響である。反原発運動も反安保法制運動も、参加した動機を書いてもらうと、「不安」や「恐れ」といった表現が多くみられた。同時代的な現象であるヨーロッパの反緊縮運動に関する調査でも、経済危機にともなう「不安」や「恐れ」が参加に影響しているとの分析結果が出ている。[8] 日本における三・一一後の社会運動では、前章までの指摘のとおり、震災・原発事故の影響が顕著にみられる。つまり、その被害や影響を重くみている人ほど、運動に参加する傾向がみられるのである。

リスクの認知は、個人に与える影響の認知と、社会全体に与える影響の認知とに分けることができる。個人的なものとは、「自分自身」に深刻な影響が生じた／生じうることであり、社会的なものとは、「日本社会」に深刻な影響が生じた／生じうることととらえられる。前節の自由回答の分析から、若者の場合、国家や社会の問題としてよりも、より個人的で身近なリスクの問題としてとらえ、運動に参加する傾向にあったのではないか、と指摘した。「若者の場合、**『震災・原発事故がその個人に与える影響の認知』が、デモへの参加を促すより重要な要素となる**」について検証してみよう（仮説3）。分析に用いる変数は、前章までと同じである（補遺参照）。

分析結果（図3－6、次ページ）は、震災・原発事故の影響についての認知と、反原発デモへの参加との関連を示している。ここでは震災・事故の影響がより直接的に表れると予想される反原発デモにのみ限定している。

まず、参加、不参加にかかわらず、高年層は震災・事故の社会的影響を強く感じているのに対し、若年層では相対的に弱い認知にとどまっている。また、反原発デモの参加者は不参加者と比べて、社会的影響を強く感じている。結果として、震災・原発事故の社会的影響をもっとも強く感じているのは、高齢のデモ参加者である。

一方、個人的な影響についても、若者は認知の程度が弱い。ただ、社会的な影響にかかわる認知と異なるのは、参加者に限った場合、年齢層による違いがみられないという点である。したがって、若年層の参加者の方が、同年代の不参加者との対比において、震災・事故の個人的な影響を強く感じているとみることができる。

中間集団への参加に関する先の結果と比べると、それほどはっきりした関連性は見いだせないが、「**若者の場合、『震災・原発事故がその個人に与える影響の認知』が、デモへの参加を促すより重要な要素となる**」という仮説は支持されたといえる。

図3－6　震災・事故の影響についての認知と反原発デモ参加（年齢層別）＊偏差値得点

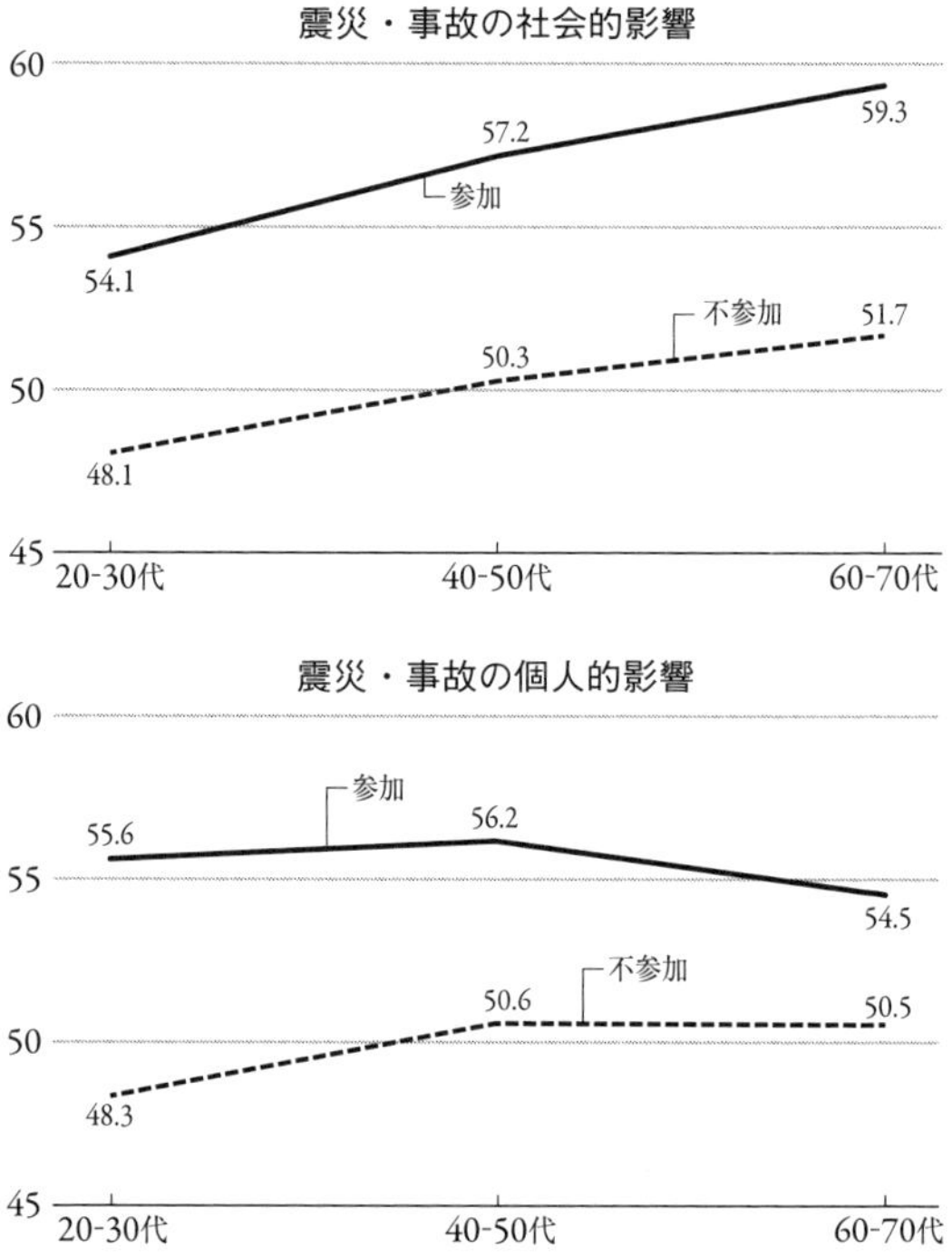

第四は、「政治不信」の影響である。冒頭でも述べたように、脱政治化が現代若者の特徴として指摘されてきた。しかし、そんな若者であっても、政治への不信感がより強まった場合には、直接的な抗議行動に参加するのではないか。年長世代は、政治不信よりむしろ「左翼」的心情に突き動かされたとも考えられる。他方、若者は「シニア左翼」と違って、政治そのものに対する

不信感が運動参加に直接影響しているのかもしれない。そこで今度は、**「若者の場合、『政治に対する不信感』が、デモへの参加を促すより重要な要素となる」**かどうかを検証する（仮説4）。

これに関連する項目として、次の二つがある。すなわち、「国民の意見や希望は、国の政治にほとんど反映されていない」と、「ほとんどの政治家は、自分の得になることだけを考えて政治にかかわっている」である。これを足したうえで、偏差値得点として分析に用いた。右の仮説からすると、若者の場合、左派であってもなくても、参加者は政治不信がより強いと予想される。

分析結果（図3-7、次ページ）は、意外なものであった。まず、デモ不参加者については、年齢層による違いはみられない。参加者についてみると、高年層のデモ参加者は政治不信が目立って強いことがわかる。高年層の場合、左派であってもなくても、参加者は不参加者と比べて政治不信が強い。

ところが、若年層ではそうした傾向はみられない。若年層の場合、政治不信の程度は、左派の参加者でも不参加者でもたいして変わらない。そして、多数派である非左派の参加者に至っては、不参加者よりも政治に対する信頼が目立って強いのである。仮説は支持されず、むしろ逆の結果が得られたといえる。

これは何を意味しているのだろうか。一つには、先にみたように、共感以外の動機、「興味」や「勧誘」による参加が若者に多いということがあるだろう。ただ、左派の参加者に限った場合でも、強い政治不信がみられないのはどうしてだろうか。

図3－7　政治不信とデモ参加（年齢層別）＊偏差値得点

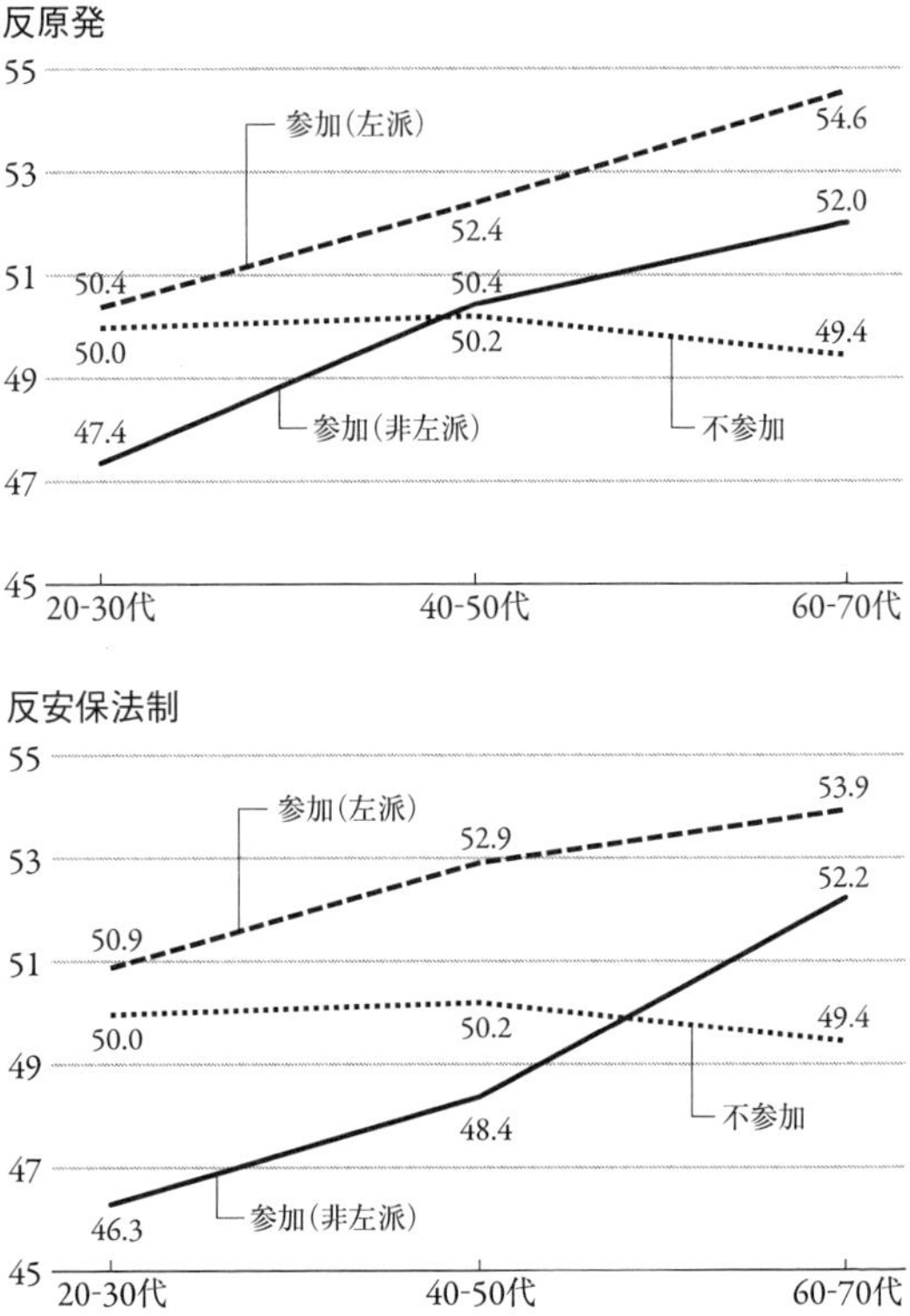

一つ考えられるのは、運動に参加する際の動機が、世代間で変化してきているのではないか、ということである。団塊世代を中心とした高年層（六〇―七〇代）は、いまなお、反体制的な異議申し立てによる全面対決こそ運動の意義と考える傾向があるのかもしれない。それとの対比において、運動に参加する若者は、政治が自分たちの声を聞き入れてくれる可能性を信じ、対話を

求める志向が強いのかもしれない。最近の調査によると、若い世代で「権威に従う」ことへの反発が薄れている。こうした意識の変化が、政治との向き合い方にも影響した可能性がある。

以上、四つの仮説を検証するなかで、若者に特徴的な参加の要因として以下のことがわかった。第一に、中間集団への日常的な参加による影響がより強かったこと、第二に、震災・原発事故が自分にとってより大きな出来事だったという認知がやや強く影響したこと、第三に、政治不信の強さは上の世代と比べると、あまり影響しなかったことである。同じように運動に関わったとしても、その参加の理由や心情には、世代による違いが多少なりとも反映しているといえるだろう。

4　夢のソーシャルメディア？

ここまで、反原発運動と反安保法制運動への若者の参加についてみてきたが、若者と結びつけて語られることの多い動員資源については触れてこなかった。ここでいう動員資源とは、ソーシャルメディアやインターネットのことである。ここでは、これらのメディアが若者の運動参加に果たした役割について検討したい。

近年、世界各地で生じている大規模な社会運動では、参加を促進するうえでインターネットが重要な役割を果たしていることがたびたび指摘され、調査でも明らかにされてきた。特に、既成組織を基盤としない運動や、新たな参加者の動員においてその役割は大きくなるようだ。では、三・一一後の日本の社会運動において、インターネットはいかなる役割を果たしたのか、特に若者の運動参加についてはどうだっただろうか。日常的なメディア利用の傾向と運動参加との関連を明らかにする。

私たちの調査では「政治や社会の問題に関する情報の入手先」として、ふだん何を用いているかをたずねている。具体的にはテレビ、新聞といったオールドメディア、インターネットのニュースやブログ、そして、ソーシャルメディア（ツイッター、フェイスブックなどのSNS）のうち、該当するものを答えてもらった。

反原発、反安保法制のどちらか一方のデモに参加したことがあるかどうかを基準とした場合、デモへの参加とより強い関連を持つのは、「新聞」「本・雑誌」そして「SNS」であった。これらを情報の入手先としている人の方が、より多く運動に参加したのである。一方、「テレビ」「インターネット（ニュースやブログ）」の利用は、運動参加を促すものではなかった。情報を受動的に受け取るだけでなく、活字メディアを活用したり、ネットで意見を交換するなどの積極性が運動参加に関連するということだろう。

若者において、新聞などのオールドメディアは役割を終えつつあるのではないかとの議論も散見される。しかし、デモに参加した若者は、新聞、ソーシャルメディアの双方から積極的に情報を受け取っていることがうかがえる。新聞を利用していない参加者の方が、むしろ少数なのである（図3－8）。

図３－８　新聞・ＳＮＳ利用とデモ参加（年齢層別）

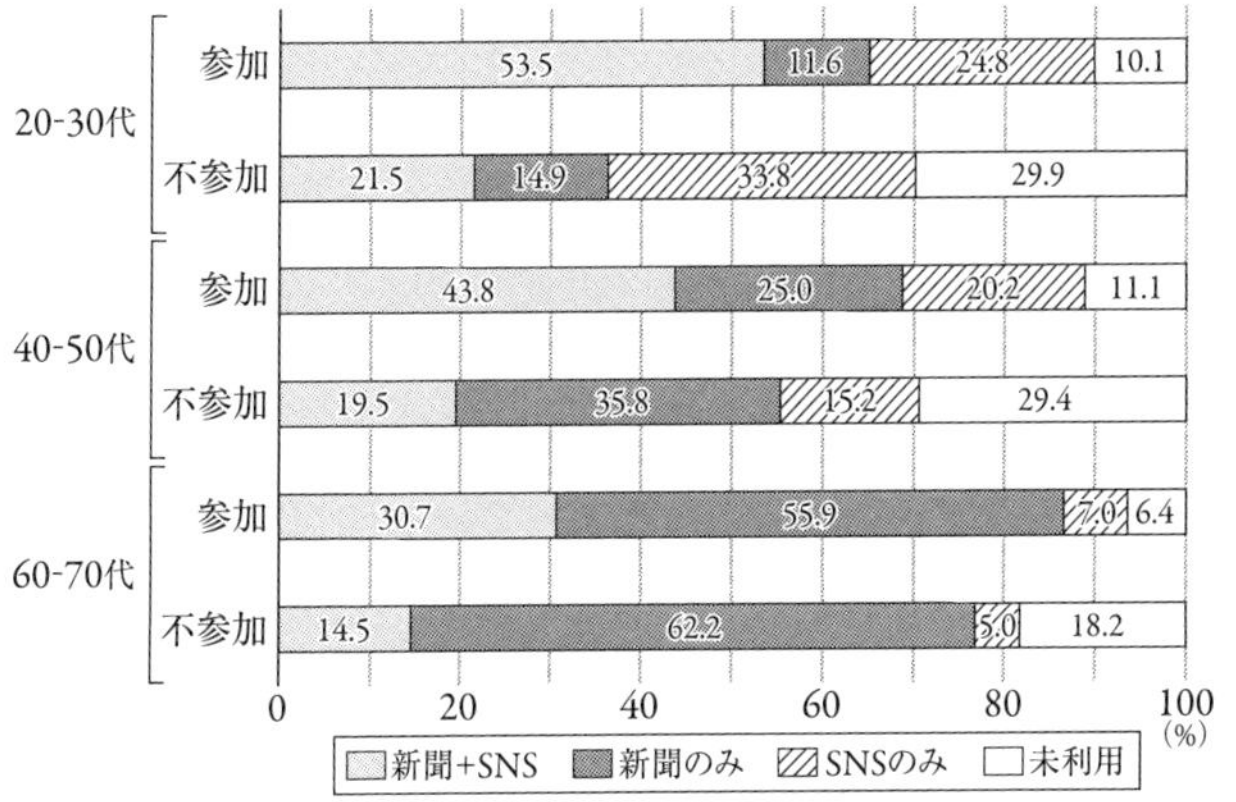

ただ、海外の研究と同様、近年生じた大規模な社会運動に新たに参加するようになった人の場合、それ以前から何らかの運動にかかわっていた人よりも、ＳＮＳへの依存度が高いようだ。特に若者に顕著な特徴として指摘できる（図３－９）。

このように、若者や新規の参加者に注目するならば、運動にかかわる情報の入手経路が、今まさに大きく変化しつつあるといえるだろう。ただ、運動への参加を促す要因としては、インターネットを利用する・しない以上に、どのように利用するかが強く関連すると考えられる。

これに関して私たちの調査では、普段のＳＮＳ利用法について、「閲覧（他人の投稿をみる）」「拡散（他人の投稿をシェアしたり拡散したりする）」「投稿（自分から投稿する）」のどれに当てはまるかを質問している。若者だけの特徴とはいえないが、ただ閲覧するだけよりも、拡散や投稿を日常的に行っている方が、運動に参加する確率は高くなっていた。前節で、社会集団への参加がデモ参加にどう影響したかをオッズ比で表し

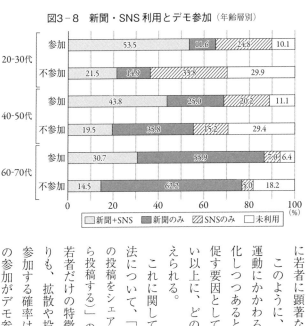

図3－9　新聞・SNS利用と3・11後の新規デモ参加（年齢層別）

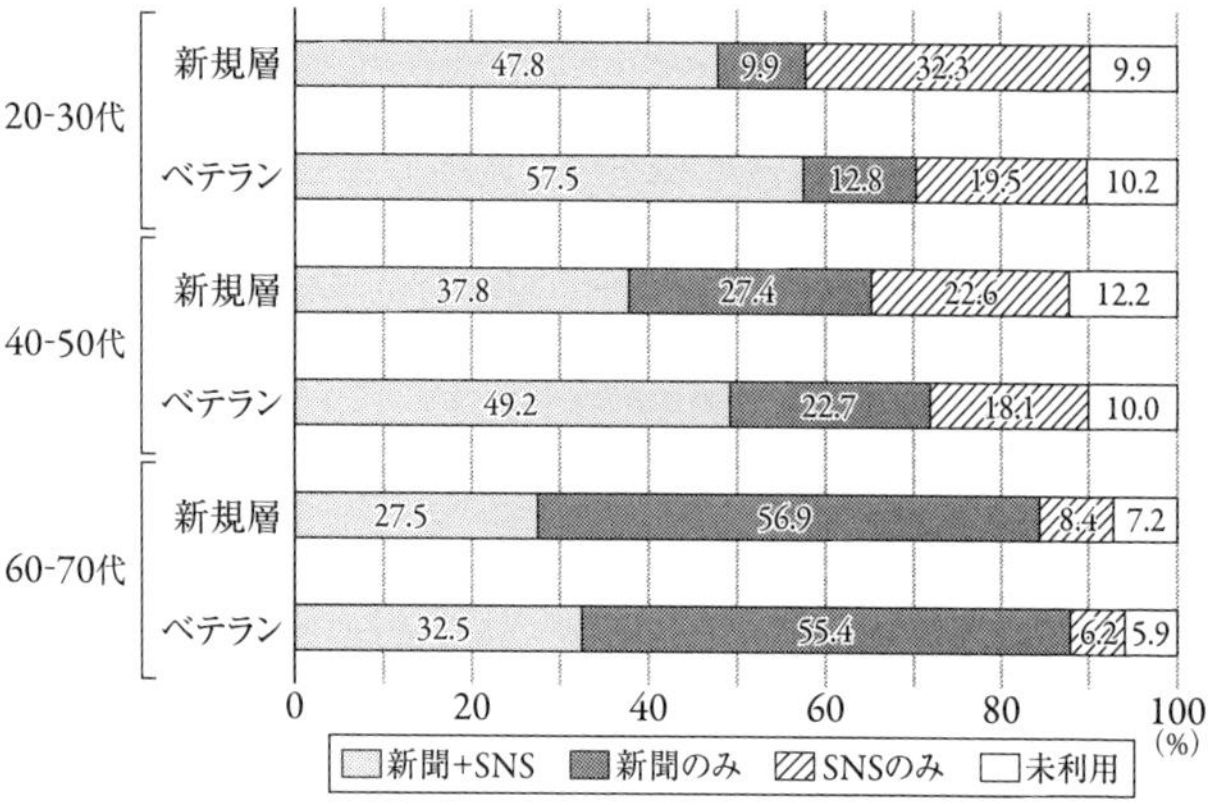

たが、ここでもそれと同様にオッズ比で表してみると、日常的なＳＮＳの閲覧で約2倍、投稿で約3倍、拡散で約4倍、運動に参加する確率が高いという結果が得られた（図3－10）。

こうしてみてくると、ソーシャルメディアと運動参加の関連は、メディアの特性によるものなのか、単にその人の能動性を表すにすぎないのか、という問題が残る。能動的な人がＳＮＳを積極的に利用し、かつ運動にも積極的に参加するということだとすれば、それはＳＮＳの「効果」とはいえない。

そこで、先ほどと同様に、これまでデモに参加したことがある人と、そうでない人とに分けて、それぞれ同じ分析を試みた（図3－11）。これまでデモに参加したことがなかった人で、ＳＮＳと参加との関連がより強ければ、ＳＮＳ「効果」についての解釈の妥当性が増すことになる。

参加経験の有無でみた場合、経験者よりも未経験者において、三・一一後のデモ参加の確率が上がっている。投稿で二・八倍、拡散で三・五倍、そして閲覧で四・五倍となっている。厳密な検証とはいえないものの、ＳＮＳの普段からの利用が、三・一一後の運動参加の誘因になった可能性を示唆する結果である。

しかも、これまで参加経験がなかった人の場合、ＳＮＳの閲覧だけでも、参加する確率が目立って上昇していた。先に、社会集団への参加の影響を確認したが、オンライン上のネットワークもまたデモ参加を促すといえよう。逆にいえば、若者において、運動への参加経験がなく、ＳＮＳを普段利用していない場合には、参加の経路がほぼ絶たれているということである。[10] 私

図3－10　SNS利用法によるデモ参加のオッズ比
（年齢層別）

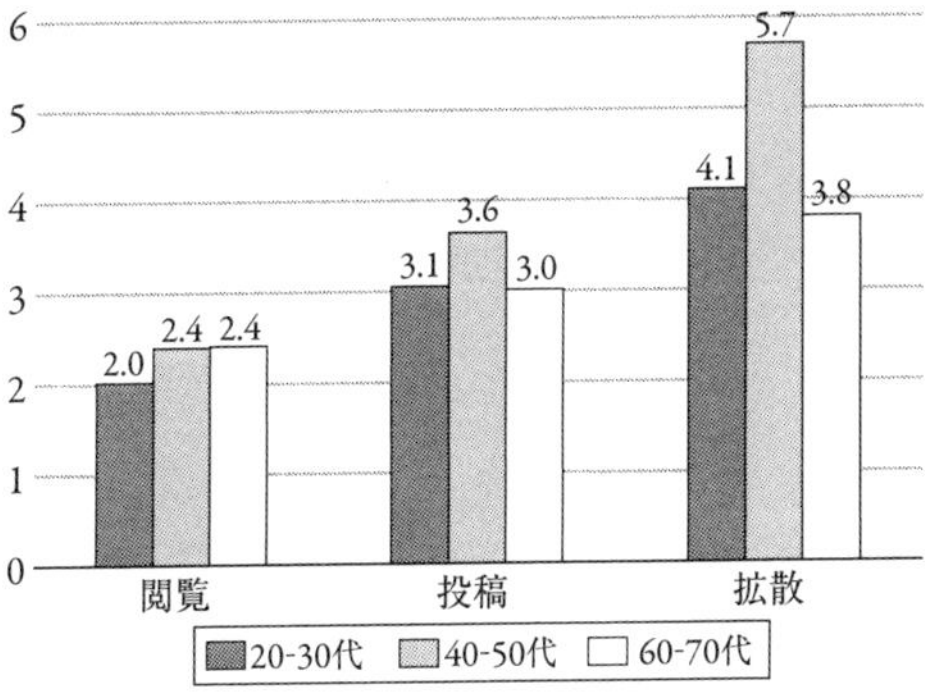

図3－11　SNS利用法によるデモ参加のオッズ比
（20-30代のみ、運動参加経験別）

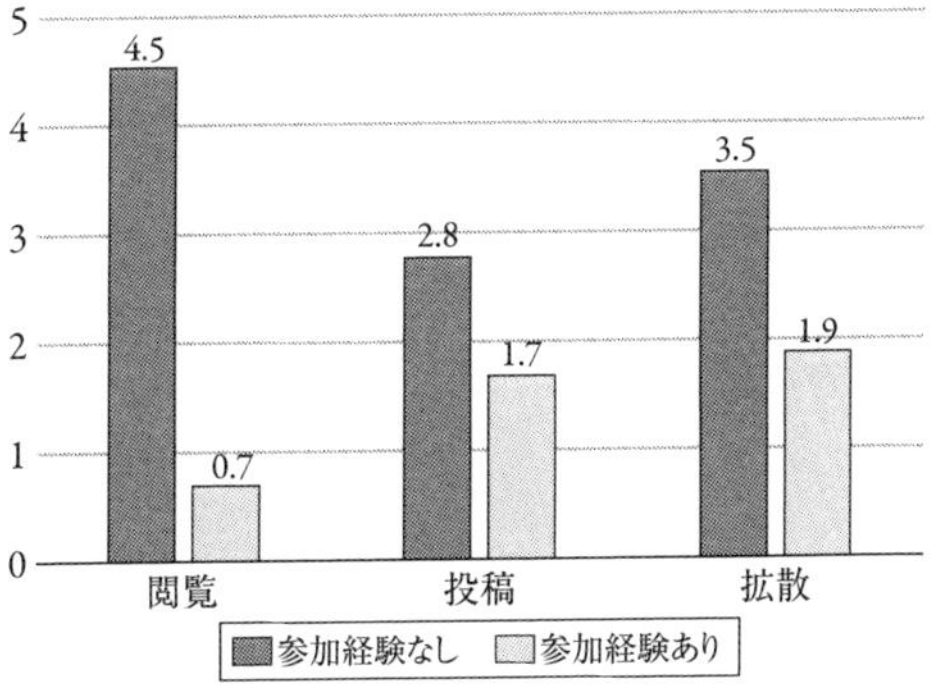

たちの調査において反原発、反安保法制デモのいずれかに参加した若者は一・七%であったが、過去に運動参加経験なし、SNS利用なしの場合、わずか〇・二%にとどまる。SNSだけで人は運動に参加するものではないが、それは若者の運動参加にとって必要不可欠なインフラになっているといえよう。

5　おわりに

本章では、デモ参加者のうち、特に若者に注目した。脱政治化したとされる若者世代に特徴的な参加要因を明らかにするためである。

本章の分析から、若者の参加者の特徴として、①日常的に何らかの社会集団に参加していること、②震災・原発事故による個人的な影響を強く感じていること、③政治に対する不信感がとりわけ強いわけではないこと——が見いだせた。また、これまで運動に参加したことがなかった若者にとって、SNSを通じて運動の情報に触れて、コミュニケーションをとることがなかば必要不可欠な要素になっていたことがわかった。

「運動を知らない」若者にとって、SNSはデモ参加に至る上で、なくてはならないツールとなっている。ただ、「ばらばらの個人がSNSというツールで結集する」というイメージばかりを強調すべきではない。というのも、若者にとって、ボランティアなどの中間集団に参加する経験も、デモ参加と強い関連があることが示されたからである。

デモ参加は、日本では「ラディカル」な行為とみなされてきたが、若い参加者にはそのような意識は希薄なようである。彼らは、「運動をよく知っている」世代の参加者ほどには、社会の行く末を憂えておらず、むしろ、個人的なリスク不安に衝き動かされている。上の世代ほどには反体制的な心情を持っているわけでもなく、むしろ、無関心な若者に比べれば、政治を信頼している。

もちろん、若い世代がこのような特徴をそなえたまま年齢を重ねていくとは限らない。デモ参加者の傾向も、イシューによって大きく変わるだろう。ただ、この章がとらえた世代間の違いが、多少なりとも今後も続くとするならば、次世代の運動は、個々人の生活上のリスクにより訴えかけることを重視するものとなり、政治を敵視しない、より穏健なものとなっていくだろう。

1――松谷満「若者はなぜ自民党を支持するのか――変わりゆく自民党支持の心情と論理」吉川徹・狭間諒多朗編『分断社会と若者の今』大阪大学出版会、二〇一九年。
2――Grasso, Maria T. 2016. *Generations, Political Participation and Social Change in Western Europe*, London: Routledge.
3――企画者側にいた若者の語りからも、周囲との認識のズレが非常に大きいものであったことがうかがえる（富永京子『社会運動と若者――日常と出来事を往還する政治』ナカニシヤ出版、二〇一七年）。
4――本章では二〇～三〇代を「若者」として扱っている。年齢の幅をやや広く取っているのは、デモのピークが調査時点から三～五年ほど前であることによる。
5――TwitNoNukes編著『デモいこ！――声をあげれば世界が変わる　街を歩けば社会が見える』河出書房新社、二〇一一年。ＳＥＡＬＤｓ編著『ＳＥＡＬＤｓ　民主主義ってこれだ！』大月書店、二〇一五年。

6――以降の自由回答データ分析では、KH Coderというソフトを用いている（樋口耕一『社会調査のための計量テキスト分析――内容分析の継承と発展を目指して』ナカニシヤ出版、二〇一四年）。

7――ここでは反原発デモのみ表示しているが、反安保法制デモも同様の傾向を示している。「消費者団体」「PTA」については年齢層による違いが小さかったため、図では省略した。

8――Grasso, Maria T. and Marco Giugni. "Protest Participation and Economic Crisis: The Conditioning Role of Political Opportunities," *European Journal of Political Research*, 55, 2016.

9――松谷満「若者――「右傾化」の内実はどのようなものか」田辺俊介編著『日本人は右傾化したのか――データ分析で実像を読み解く』勁草書房、二〇一九年。

10――二〇―三〇代のほとんどは日常的にSNSを閲覧しているだろうと思う向きもあるだろうが、ネットモニターを用いた今回の調査でさえ四分の一は日常的にSNSを利用していない。

第4章

おひとり様のデモ参加？

個人化・SNS時代における運動の参加形態

原田　峻

1　はじめに

福島原発事故の衝撃から間もない二〇一一年五月七日、筆者（男性、当時二六歳の大学院生）は新宿で用事を終えてツイッターのタイムラインを開いたところ、ちょうど渋谷で「原発やめろ！サウンドデモ」が始まったことを知った。誰に誘われるでもなく誰を誘うでもなく、その足で渋谷に行ってみようと思い立ち、デモ行進の一員になっていた。この日のデモには約一万五〇〇〇人（主催者発表、「朝日新聞」二〇一一年五月八日付）が集まった。バンドやＤＪが大音量で音楽を流し、それに合わせて行進するスタイルで、まるでロックフェスのような熱気があった。

一人きりの筆者には、周りの目を気にせずデモに参加できる安心感があった。他方で、同世代の友人が他の参加者と仲睦まじげに声をあげる姿を見かけた時には、話しかけるのを躊躇してしまった。政党の旗を振ってシュプレヒコールをあげる人たちを前にした時には、政治団体に属さない自分は居心地が悪くなった。「ぼっち感」を抱いた筆者は、ツイッターでデモの模様を実況中継していた。筆者が反原発デモに参加したのは、このとき限りだった。

筆者は同じ頃、原発避難者を受け入れた首都圏の避難所でのボランティアにも参加していた。ニュースを見て一人向かった現地で、大学の先輩にばったり会って所属するＮＰＯに加えてもらい、それから八年以上にわたって避難者支援の活動を続けることになった。三・一一直後、一人で現地入りして知人と出くわしたデモと、同じく一人で参加したボランティアとは、いずれも原発事故への危機感という同じ動機に基づいていたのに、筆者はまったく異なる行動をとったのである。少なくとも筆者には、ボランティアよりデモの方が、現地で知人に声をかけたり既存のグループに加わったりすることが難しく感じられた。もし筆者が、この時のデモに家族・友人や所属団体と一緒に参加していたら、違った道を歩んだかもしれない。

今振り返って思うのは、デモに一人で参加することの両義性である。一人だから参加しやすいとも、一人だから参加しづらいとも言える。

この両義性は、反原発運動と反安保法制運動に関する研究でも示されている。たとえば平林祐子は、三・一一以降の都市部の反原発街頭行動の新しさとして、「強い『モラル・ショック』を受けたごく普通の人びとの感情が、ソーシャルメディアを中心とする二〇一一年時点で最先端の情報環境に媒介されて直接行動につながった」ことを挙げる。「既存のリアルな人間関係や個人的関心を持たない人がふとしたきっかけで直接行動に参加する可能性は、メディア環境の発達によって以前よりずっと高くなった」のである[1]。このようにして、直接的な人間関係を経由せずにデモに一人で参加する人々を、日常生活において単身者であるか否かを問わず、この章では「おひとり様」と呼ぶ。

それに対して小熊英二は、SNSで結びついた人々が、その友人や親戚をデモに連れていくという、補完的な関係が存在することを指摘する。「SNSは、それ自体としても、広域的に特定の関心を持つ人々を結びつけるbonding（関係強化）効果を持つ」が、「それだけでは、一定以上の人数にはならない」。「SNSが、各地の一次集団をbridging（橋渡し）した場合は、大きな動員をもたらすのである」[2]。この章ではSNS利用の有無を問わず、デモの現場に家族・友人と連れ立って来た人々のことを「お連れ様」と呼ぶ。

ここで無視し得ないのが、三・一一後の社会運動では、既存の組織的な動員もまた活性化したという事実である。反原発・反安保法制デモに参加した「シニア左翼」を取材した小林哲夫によれば、国会前で「じつにたくさんの共産党のシニア左翼が、自分たちが民青（引用者注：日本共産党の下部組織で、日本民主青年同盟の略）だったころを思い出して」、「労働組合、商工組合の幟を立てて参加」しており、「その数は他を圧倒」していたという[3]。このように所属団体のメンバーとデモに同行した人々のことを、この章では「団体様」と呼ぶ。

これら三類型のうちどれに着目するかによって、三・一一後の社会運動に対する像はまったく異なってくる。原発事故後の不安にもとづく連帯、日常生活で培われた市民ネットワークの底力、左派組織による総動員——どれも現実の一面を言い当てているのだろうが、何に焦点を当てるべきなのか。後述するように、この間のデモで特筆すべきはおひとり様の多さであり、以下ではおひとり様に着目することで、個人化・SNS時代における運動のあり方を考えていく。

2　おひとり様・お連れ様・団体様とは誰か

最初に、この章における「おひとり様・お連れ様・団体様の参加者」の定義とその分布、および参加の直接的なきっかけを示したい。

私たちの調査では、三・一一後の反原発デモ、反安保法制デモのいずれかに参加した人に、「最初にデモに行った時に、だれと一緒に参加しましたか」と尋ねている。その結果、デモに参加した一四一二人のうち、「一人で」が四二％、「家族や恋人と」が一九％、「知人・友人と」が三四％、「加入している団体や運動のメンバーと」が一五％であった。

ただし留意すべきは、この設問で「一人で参加した」と答えた人の中には、「誰かと一緒に参加する予定だったが、現地で会えなかった、別行動をとった」といったケースも含まれているかもしれないことである。そこで、社会運動における単身参加者を主題としたワルストロムらの論文[4]にならい、「デモに一人で参加し、かつ、誰からも誘われなかった」人[5]を「おひとり様」としたい。それに対して、「加入している団体や運動のメンバーと」ともにデモに参加した人を「団体様」、それ以外の人[6]を「お連れ様」とする。

これによって、デモに参加した一四一二人を、三つのグループに分類できる（図4－1）。多い順からお連れ様、おひとり様、団体様の参加者となり、お連れ様の参加者が半数弱を占めてい

図４－１　おひとり様・お連れ様・団体様の分布

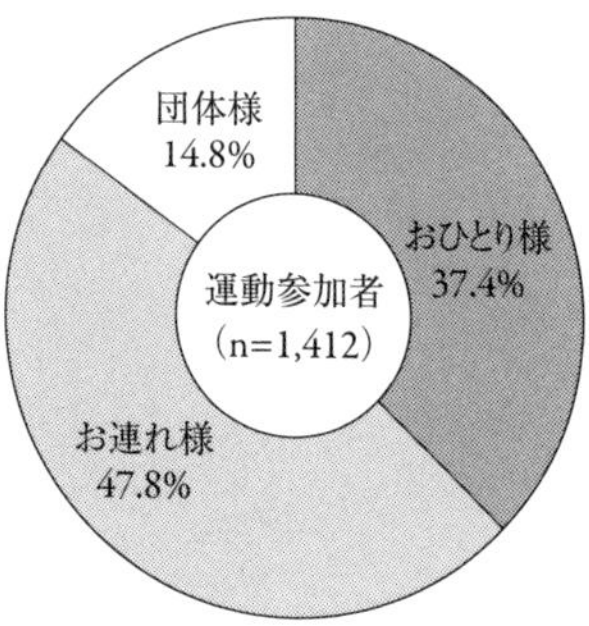

た。三・一一後の社会運動は、家族や友人などの小集団が寄り集まったことで、大規模になったのである。

　この結果をみると、おひとり様はお連れ様より少ないが、海外と比較することで特異性が浮かび上がる。ワルストロムらによれば、二〇〇九年から一二年にかけてヨーロッパ八カ国で六九のデモの参加者を調査した結果、一人で参加したのは一〇％強で、「驚くほど高い割合」だった。さらに「デモに一人で参加し、かつ、誰からも誘われなかった」回答者は七％だったという。[7]調査方法が異なるため厳密な比較はできないが、一人での参加者が三分の一強を占めていた日本の状況は、海外から見れば「驚く」を通り越して「唖然とするほど高い割合」ということになるだろうか。

　続いて、おひとり様、お連れ様、団体様という三つの参加形態に直接影響を与える、参加のきっかけを確認したい。反原発・反安保法制デモの参加者にきっかけ（複数回答）を尋ねたものが、図４－２である。[8]これまで指摘された通り、おひとり様はインターネットやＳＮＳ、新聞・テレビから情報を得た人が多いのに対して、お連れ様の場合は家族・友人・知人経由の人が多い。団体様は「その他」が多いが、その七割以上が「職場、組合、市民団体」等の言葉を回答欄に書き入れている。これらすべてにおいて統計的に有意な関連（一％水準、以下同）があり、参加のき

図4−2　参加形態と運動参加のきっかけ

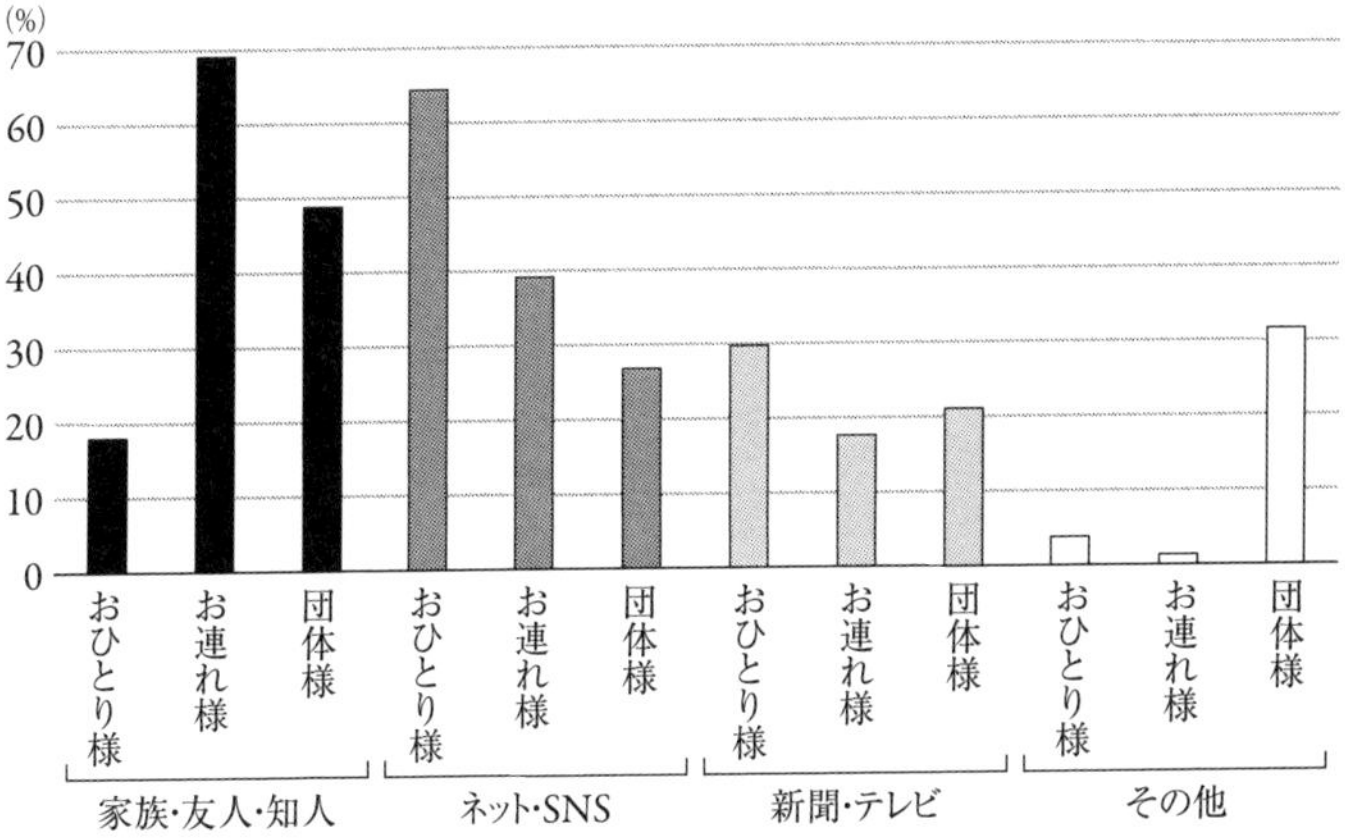

っかけと参加形態は密接に結びついていることがわかる。

　こうした違いを、調査に応じてくれた方たちの自由回答から示しておこう。まず、おひとり様の場合、筆者と同様にツイッター等のSNSは次のように使われていた。

　ツイッターやフェイスブックから表に出ない情報を得て、何かしなければと思い。また、身近には理解者がいなくて、SNSで同志と知り合い誘われたので。（五〇代女性、反原発デモ）

　SNSの呼びかけがあって、時間があるなら行かなくてはと思って、日曜日の集会に行きました。（五〇代男性、反安保法制デモ）

ここで興味深いのは、SNS上の「同志」から誘われた女性が、「家族・友人・知人から誘われた」を選択せず、「デモに一人で参加した」を選択したことである。SNSを通じて知り合った人と情報や連帯感は共有するが、オフラインでは行動を共にせず、おひとり様となった人々が一定数いたようだ。

これに対してお連れ様は、一緒に参加した家族・友人・知人について具体的に言及していた。家族の中で多くみられたのが、夫婦や母・娘、姉妹である。逆に、父・息子や兄弟といった男性のみの家族関係に触れたものはなかった。

若い人たちがたくさん参加するのを知って、世の中の流れの一つとして一度見てみたかった。SNSで友人たちも参加しているのを見て、夫と話し合って、国会前に見に行った。(三〇代女性、反原発デモ)

戦争や平和については学生の時(二〇年以上前)から関心はあった。母に誘われてデモに行った。(四〇代女性、反安保法制デモ)

友人・知人については単に「友人」と記載する回答者が多かったが、大学や近所の友人、職場の同僚といった記載も散見された。

参加しようと思った理由は、反原発に対する意見を自分自身と周囲の人に表明しておきたいと思ったからです。当時の近所の友人たちとＳＮＳで得た情報を元に参加しました。（四〇代女性、反原発デモ）

どんな活動をしているのか気になった。職場の先輩に誘われた。（三〇代女性、反安保法制デモ）

このように、家族や友人との間で原発・安保法制のことが話題に上がり、誘ったり誘われたりしながら、お連れ様となったのである。その際に、小熊が指摘したＳＮＳとの補完関係は、上述の引用以外でも複数の記述で確認することができた。

団体様は、加入団体の呼びかけによりデモに参加した人々であり、労働組合についての言及が大多数を占めていた。ただし、参加の動機は二つの対照的なものに分かれる。一つは、原発・安保法制にもともと関心があって、団体の呼びかけに応じて積極的に参加したケースである。

原発は危険だと、以前から考えていた。労働組合の取り組みがきっかけ。（四〇代女性、反原発デモ）

加盟する労働組合団体の要請があり参加しました。具体的な審議をせず、与党の数の力で強引に法整備を進める安倍政権への反対意思のため。（三〇代男性、反安保法制デモ）

もう一つは、労働組合の方針に従って、自分の意思とは無関係に仕方なく参加したケースである。

労働組合の影響で強制参加。（三〇代男性、反原発デモ）

職場の組合の部会長に指名され、組合の方針に従って参加した。その後、管理職になって組合活動から離れたので、以降、参加したことはない。（七〇代男性、反安保法制デモ）

このように、同じ団体様の中でも温度差があったことに注意しておきたい。

ここまで、三つの参加形態の分布と、それぞれの参加のきっかけを確認した。「個人化」が進行し（第1章参照）、SNSの影響力が増した現代社会において（第3章参照）、三・一一後の社会運動におけるおひとり様は、世界的にも最先端の現象なのかもしれない。それでは、おひとり様の参加者とは、どのような特徴をもつ人々なのだろうか。お連れ様・団体様と比較しながら、参加者の属性、社会関係、意識という観点から分析してみたい。

図4－3　属性と参加形態

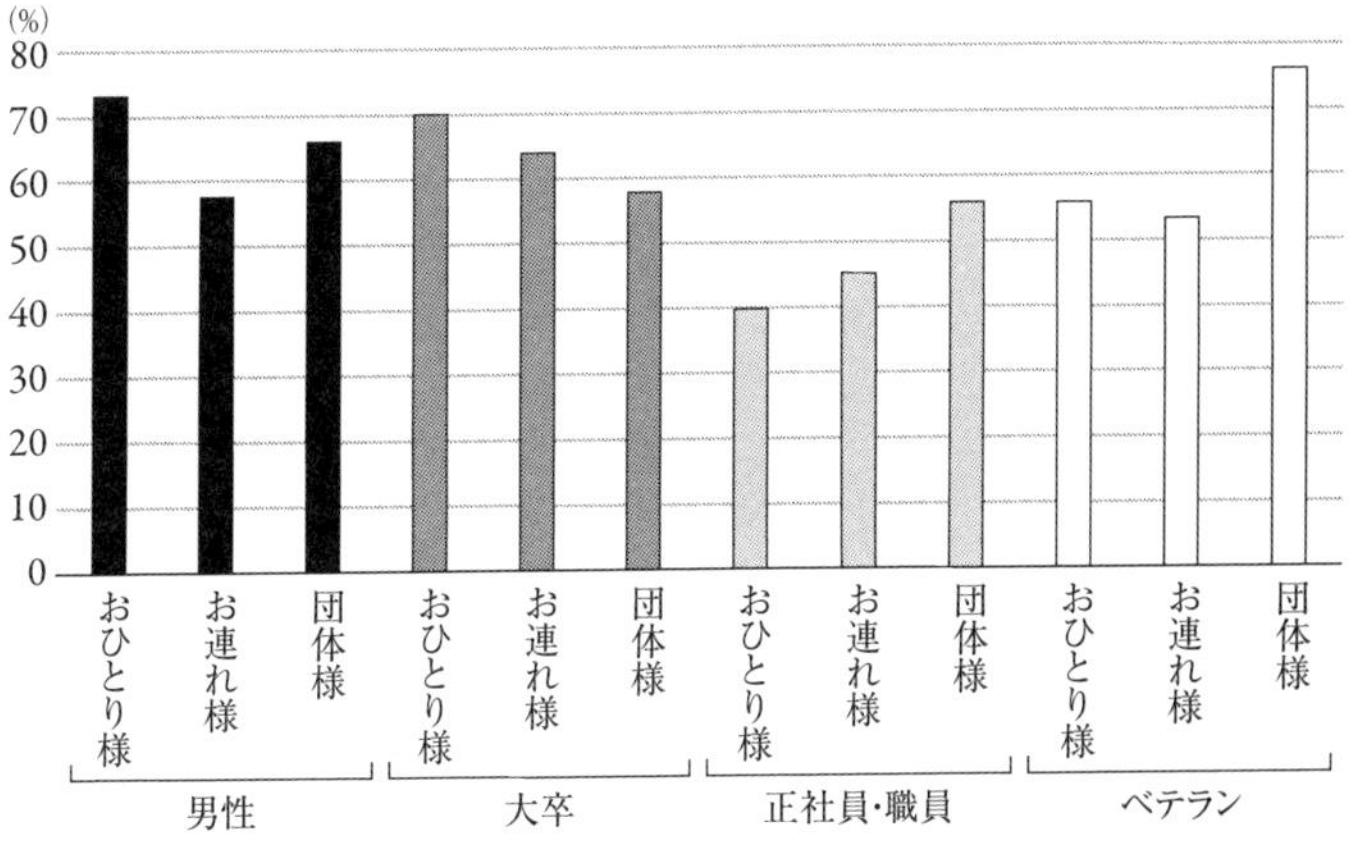

3　誰がおひとり様になりやすいのか

①参加者の属性と参加形態

まずは、他の章の議論を踏まえながら、参加者の属性と参加形態との関連をみてみよう。デモ参加率は、男性、高齢者、高学歴、正社員でやや高く、過去にもデモに参加したベテランが、反原発・反安保法制デモに参加した人の多くを占めている（第2章参照）。この傾向は、参加形態の違いを問わず当てはまるのだろうか。

図4－3から浮かび上がるおひとり様の特徴として、男性、大卒、正社員以外の割合が高いということがある。特に、お連れ様と比べると男性の割合が目立って高い。女性の方が、日常的なネットワークの延長として身近な人たちと参加していたのに対し、男性はそれとは切り離された形での参加が多かった

と考えられる。

また、おひとり様・お連れ様では新規層が多く、半数弱を占めている。三・一一後の社会運動は、団体とのつながりを持たない個人および家族・友人に、新規参入の機会を与えたようだ。

やや意外なことに、おひとり様に年齢的な特徴はない。先に、おひとり様の参加のきっかけとしてインターネットやSNSでの情報が大きかったことを確認した。これらのツールを使いこなしているのは「若者」というイメージがあるが、かといって若者におひとり様が多いというわけではなかった。

雇用形態と過去の参加経験についてみると、団体様で明確な特徴があった。正社員、ベテランが多いというわかりやすい特徴である。しかし、おひとり様とお連れ様とのあいだには大きな違いはみられなかった。しいていえば、おひとり様の方が経営者・自営業・非正規雇用・学生・無職の比率が高く、お連れ様の方が専業主婦・主夫の比率が高い。こうしてみると、大卒男性非正社員であった当時の筆者は、おひとり様の平均像を体現していたといえそうだ。

②参加者の社会関係と参加形態

次に、参加者が既婚者か否か、相談相手がいるかどうか、労組などの社会集団に属しているか否か、SNSを利用しているかどうかといった社会関係と参加形態との関連性をみてみよう。

これまで社会運動の動員については、労働組合や教会のような中間集団、友人ネットワークな

図4－4　日常的な社会関係と参加形態

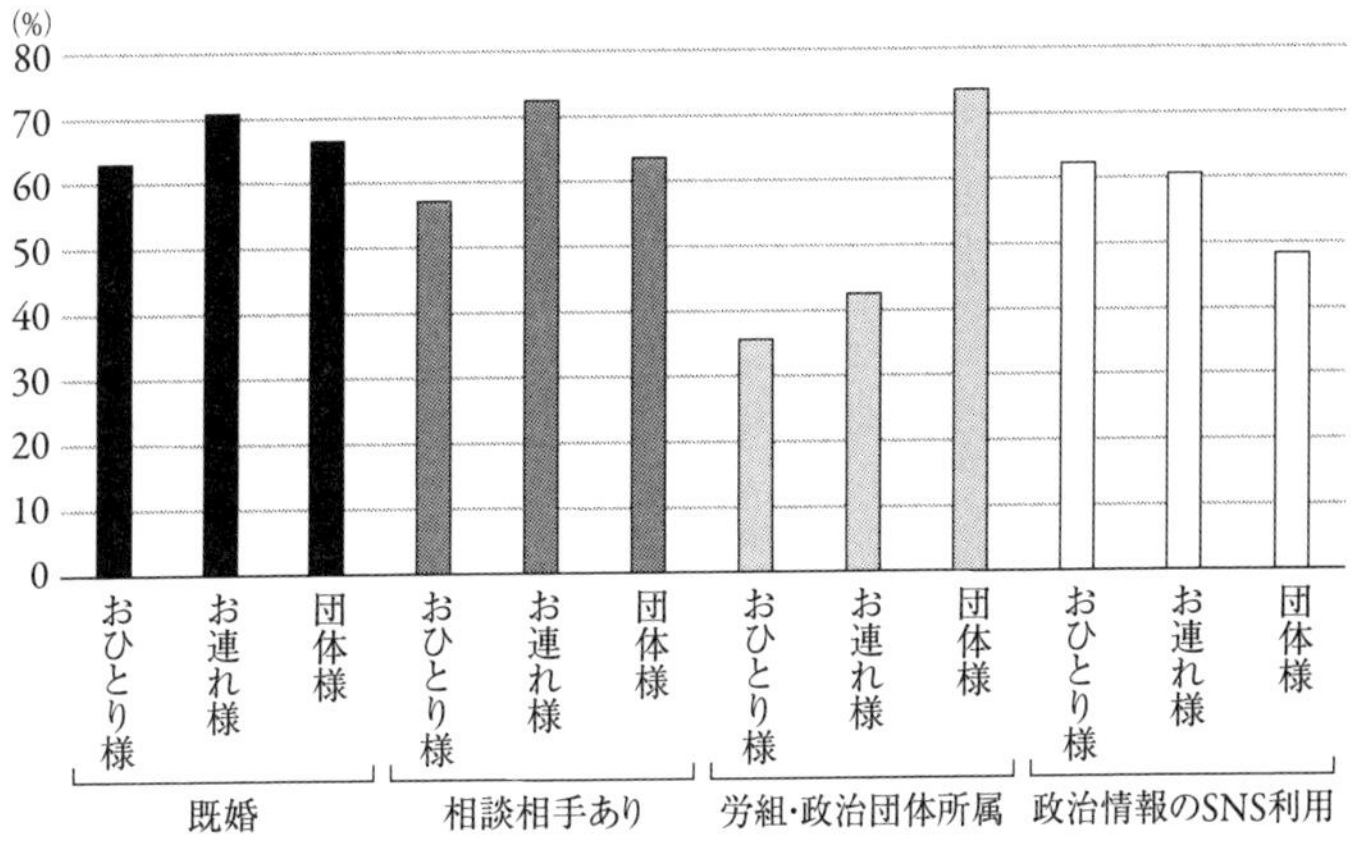

どが重要な役割を果たすことが指摘されてきた。先述のワルストロムらが、ヨーロッパにおけるおひとり様の参加者の割合が一〇％強であったのを「驚くほど高い割合」と評したのは、そのためである。他方で近年では、インターネットが新たな勧誘の基盤となり、既存の組織を介さない動員も行われるようになった。

　これらの議論を踏まえて、日常的な社会関係（結婚相手や相談相手の有無、団体所属、ＳＮＳ利用）と参加形態との関連性を示したのが図４－４である。

　まず、婚姻・友人関係は参加形態と関連があり、おひとり様は他の類型よりも既婚率がやや低く、相談相手ありの比率も低い。おひとり様は、お連れ様・団体様と比べて直接的な人間関係を多く持たない特徴を有している。

　団体所属をみると、労働組合・政治団体に加入している人は突出して団体様になりやすく、旧来型組織の面目躍如といった感がある。それと対極をなすのがおひとり様であり、加入率に三〇ポイント以上の差があった。逆に興味深いのは、原発問題と親和性が高い環境・ボランティア・まちづくり・震災関連団体に加入しても、団体様になりやすいわけではないことだった。これらの団体加入者は理念を共有してデモに参加するが、組織動員をかけるわけではないため、おひとり様やお連れ様にもなるのだろう。

インターネット上の社会関係として、「政治や社会の問題に関する情報の入手先」におけるSNSの利用率をみてみると、おひとり様とお連れ様の利用率が高い。先行研究で指摘された通り、普段からSNSで情報を入手するような人々は単独で、あるいは家族・友人に声をかけて、デモに参加したのである。

③参加者の意識と参加形態

ここまでの分析で、おひとり様の属性と社会関係をそれぞれ確認した。加えて確認したいのが、意識との関連性で、これについては二つの対立する見方がある。

第一は、おひとり様は「フツーの人」仮説で、通常ならデモに参加するような、とがった意識はないが、震災と原発事故、あるいは安保法制の強行採決という非常事態を受けて、やむにやまれずデモに馳せ参じたというものである。第二は、おひとり様は「ラディカル」仮説で、この場合、自らの信念に従って行動するがゆえに、単身での参加も躊躇しない。

どちらの見方が正しいのだろうか。参加形態によって、保守―リベラルをはじめとする政治意識に差があるかどうかをみると、ほとんど違いはなかった。おひとり様だからといって、他のデモ参加者と大きく意識が異なるわけではない。ただし、例外的に関連がみられたのが、支持政党と反権威主義であった。まず、どの類型でも立憲民主・民進党の支持率は同程度であるのに対し、おひとり様では共産・社民党の支持率が低い。他方で、自民・公明党を支持する人がやや多かった。この意味で、おひとり様は他と比べて「フツーの人」が多いともいえるが、同じ結果を社会関係から説明することもできる。自民・公明党支持者は「運動系」の社会関係を持たないため、おひとり様の参加者となったのだろう。

それに対して、おひとり様に特徴的な意識が見られたのが反権威主義だった。おひとり様は権威主義を嫌う特徴があり、その意味で他の参加者よりも「ラディカル」だといえる。これが何を意味するのか、以下で改めて考察したい。

④おひとり様へのなりやすさ

ここまで、おひとり様の属性、社会関係、意識を明らかにしてきた。これらは相互に関連している可能性があり、複数の要因の効果を同時にみる必要がある。そこで、ロジスティック回帰分析という手法を用いて、おひとり様の参加者の特徴を浮かび上がらせたのが図4－5である。図中の矢印は、他の変数の効果を取り除いたうえで、それぞれの要素と、お連れ様・団体様と比べ

図4－5　お連れ様・団体様と比べた時の、おひとり様の参加者へのなりやすさ

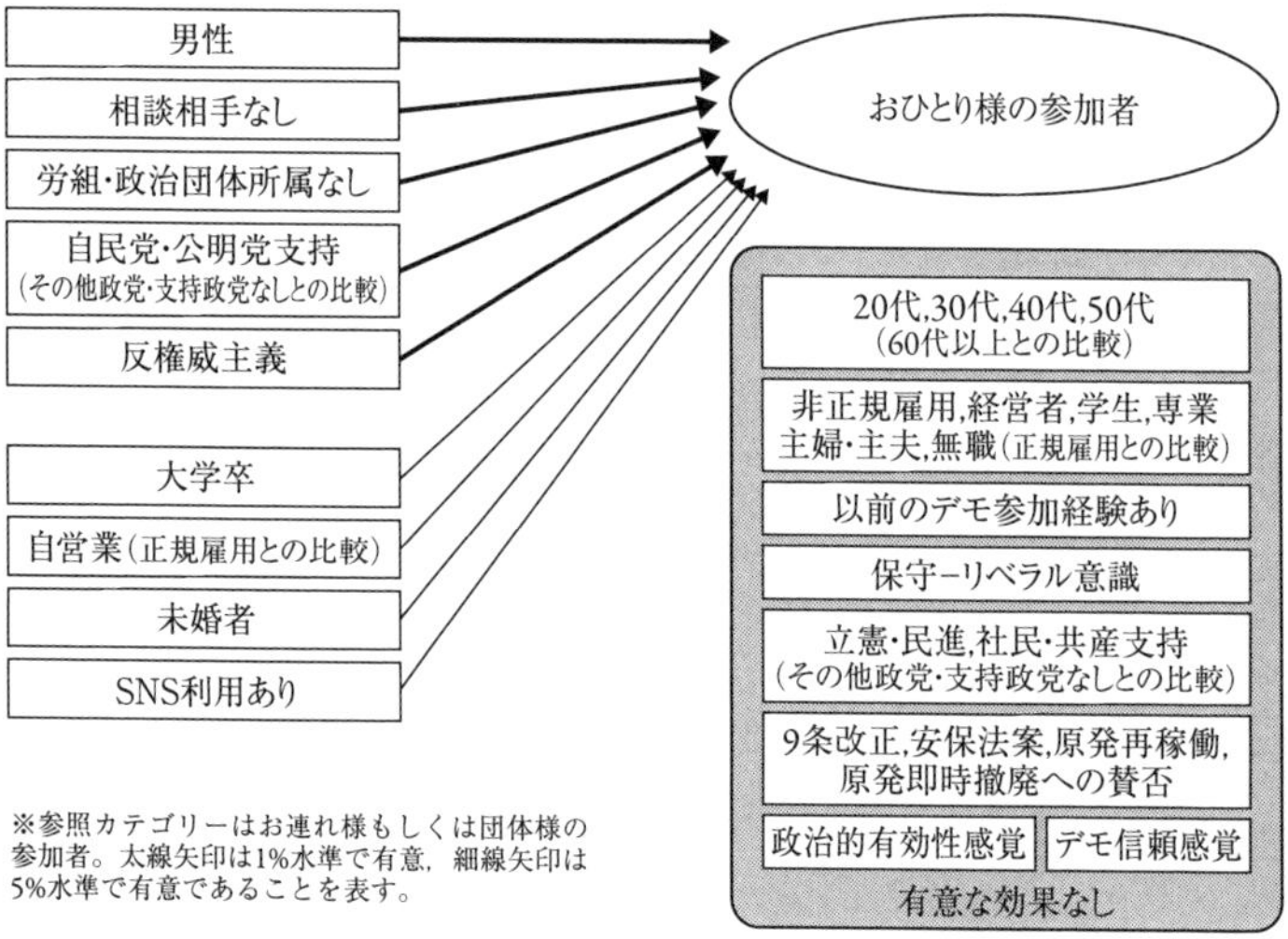

※参照カテゴリーはお連れ様もしくは団体様の
参加者。太線矢印は1%水準で有意，細線矢印は
5%水準で有意であることを表す。

た時のおひとり様へのなりやすさを表している。一％水準で有意な関連がみられた要因について、順に確認していきたい。

まず、ジェンダーについては、一般に女性は男性よりもデモ参加率が低く、親族や友人を介して勧誘されることが多い（第5章参照）。三・一一後の社会運動においても、女性は母娘・夫・友人などから誘われてお連れ様となったケースが多かった。逆に男性にとって、一人で参加するハードルは女性ほど高くはないため、おひとり様になりやすいと言える。

次に、相談相手がいる人ほどお連れ様に、労組・政治団体に所属する人ほど団体様に、そうでない人ほどおひとり様になりやすいことがわかる。婚姻の有無やSNS利用も関係はあるが、とりわけ相談相手のようなつながりを持たず、労組・政治団体のような組織に

よる動員を欠いていると、おひとり様になりやすいようだ。

これまで政党支持については、民主党支持者がデモに動員されやすいことが指摘されてきた[9]。三・一一後の社会運動においても、民主・社共を支持する人の比率は高かった。その中で少数ながら存在する自公支持者が、おひとり様になりやすい特徴を示していた。前項で、自公支持者は一緒に運動に参加する社会関係を持たないとの解釈を示したが、その裏返しで、日ごろの社会関係が運動参加の障壁になって一人で参加したという解釈も可能だろう。家族・友人や所属団体から離れてデモに参加し、政党支持とは別に原発や安保法制に対する意思表示をおこなった自公支持者もいたのではないか。

最後に、反権威主義という要素について考察してみよう。反権威主義のおひとり様とは、どういった人々だろうか。反権威主義度がデモ参加者の平均値（〇・三九）より高いおひとり様の自由回答をみると、政府への怒りがとりわけ目立つ。以下の二人が示すように、一人であろうと声をあげたいという動機によって、おひとり様の参加者となっていく。

安倍の原子力政策があまりにも民意からかけ離れていると思った。また民主党も労働組合や経済界などからの圧力に逆らうことも出来ず、腰砕け状態を憂えた。（六〇代男性、反原発デモ）

憲法改正や安保法制そのものは、まだ考えなければならないので反対している訳ではなく、安倍首相の国会軽視、国民無視の姿勢は許せないし怖いと思った。（中略）民主主義のまえに、あの不遜な態度は許せないし、少しでも省みてほしい一心で行かずにいられなかった。（七〇代女性、反安保法則デモ）

他方で、反権威主義的な眼差しは、政府だけでなくマスコミや専門家にも向けられる。怒りの感情とは別に、報道等に頼らずに自ら主体的にデモに参加し、自分らの目で確かめて評価したいという思いが、おひとり様としての参加に結びつくのである。

反原発、脱原発といっても代替エネルギー案は人それぞれなので、各々がどのような考えを持っているか知りたいと思っていたところ、ネットでデモがある旨、知ったので、参加してみた。（二〇代男性、反原発デモ）

世論の形成される過程がどんなものか見てみたかった。人が一番集まりそうなデモだった。（五〇代男性、反安保法則デモ）

このように、おひとり様の参加者には、自らの判断を権威に委ねず、必要を感じれば自ら声をあげる、あるいは自分の目で見るという主体的な態度が、他の参加者よりも強く働いていることがわかる。

4　二つの運動の違いと、おひとり様のその後

①反原発運動と反安保法制運動の違い

前節では、三・一一後の社会運動を一括して扱ったが、本節では反原発、反安保法制それぞれの運動の違いと参加形態との関係を明らかにしたい。

先述したワルストロムらによれば、ヨーロッパの六九のデモの中で、個人参加者が多いデモと少ないデモが存在したという。それを分かつ三つの要因が、①運動のテーマ、②デモ開催地、③誘発的な出来事である。この③に該当する出来事として、福島原発事故の発生がヨーロッパでの脱原発運動において個人による参加を促したことを挙げている。[10]

この論点を三・一一後の日本の社会運動に当てはめてみると、誘発的な出来事としては、反原発運動においては福島原発事故の発生、反安保法制運動においては強行採決を挙げることができるだろう。前節で述べたように、原発や安保法制への危機感が、おひとり様の参加を促したと考えられるからである。

運動のテーマに関しては、反安保法制運動よりも反原発運動の方が、目標が共有される範囲が

図4－6　デモのテーマ・開催地と参加形態

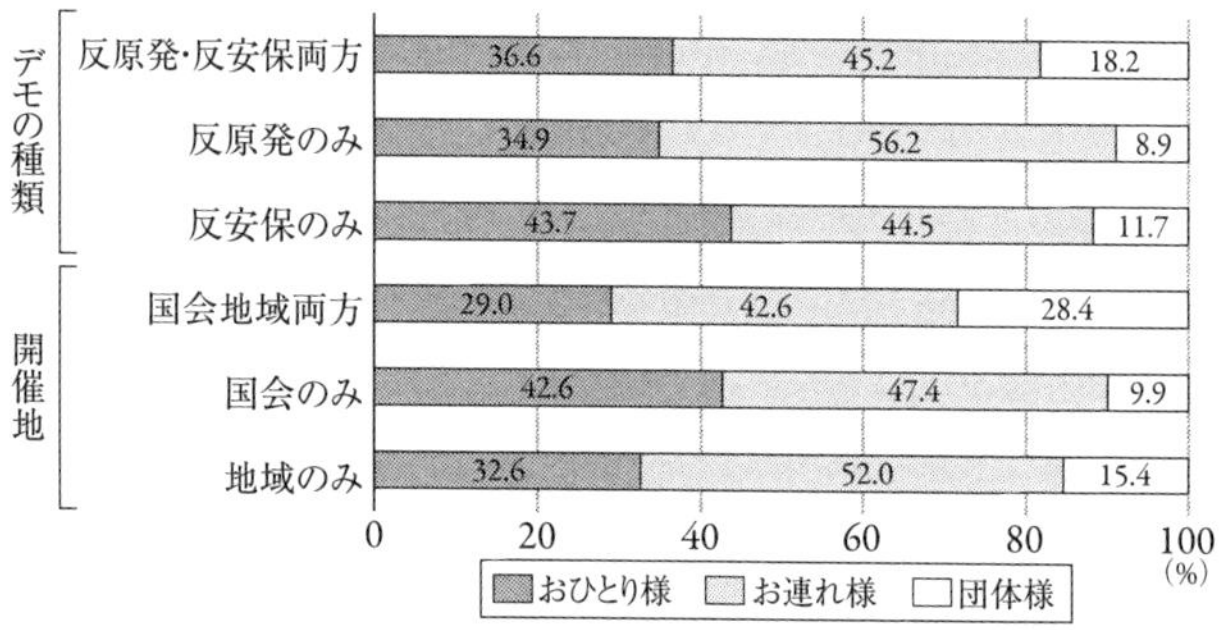

広く、運動支持の度合いも高かった（第6章参照）。安倍政権のもとで左右対立が強まった反安保法制運動よりも、党派性を問わず多くの人にショックを与えた福島原発事故後の反原発運動の方が、おひとり様の参加をより可能にしたのではないか。

だが、こうした見方は図4－6が示すデータと一致していない。まず、「両方参加」「反原発のみ」「反安保のみ」というデモ参加の種類と、参加形態は関連していた。両方参加の場合、団体様が多かった。片方のみ参加者で比較すると、予想に反して反原発デモよりも反安保法制デモでおひとり様が多く参加していた。考えられる理由は、メディアの報道量による影響である。反原発デモよりも反安保法制デモの方がメディアに登場したイベント数が多く（第2章参照）、国会前のデモの様子やSEALDsの活動がさかんに報じられた。こうした報道に触れることで、おひとり様の参加するハードルが下がったのではないか。

デモの開催地に関して、二〇一一年に三カ所の反原発デモを調査した平林は、「五〇～六〇代の男性が中心で労組や歴史ある反原発団体等の組織に支えられた芝公園・日比谷公園デモ、三〇

～四〇代の女性中心で家族連れ・子ども連れが多い渋谷のエネルギーシフトパレード、二〇～三〇代中心でソーシャルメディアを活用してサウンドデモが特徴的な新宿のデモ」といった違いを指摘している。[11] これと同様に、デモの開催地によっておひとり様の分布が異なるのではないか。

私たちの調査では、「国会・官邸前デモ」と「地域のデモ・学習会」の参加の有無を尋ねた。いずれも非該当のデモ参加者は、繁華街（新宿、渋谷、銀座など）や都市公園（日比谷公園、代々木公園など）のデモに参加したと推測できるが、場所の特定が難しいため、ここでは①国会と地域の両方、②国会のみ、③地域のみの三パターンについて分析した（図4-6）。参加したデモの場所と参加形態には関連があり、[12] 地域よりも国会前の方がおひとり様の参加者が多い。先述の通り、国会・官邸前デモはメディアで盛んに報道されたため、単身でもデモに参加できるという安心感がある。逆に地域のデモは、メディアで報道されることが少ないため、情報を持たない人が参加するのは難しい。また、地域で開かれる少人数の学習会などは匿名性が低く、おひとり様で参加するにはハードルが高いと考えられる。

以上の分析から、反原発デモよりも反安保法制デモ、開催地では国会前の場合に、おひとり様の参加者が多いことがわかった。反安保法制の国会前デモにのみ参加した次の二人の自由記述には、その心情が明確に表れている。

何となく一度くらいは参加しなくてはいけない気がした。TVなどで、国会議事堂前に大勢

集まっているのを見て、何か力を貰った。（三〇代男性）

国会での審議中継を見ていてあまりのやりかたのひどさに自分が何か反対意見のためにできることはないか、国会前に人が集まっていることをネットで知って意思表示のため参加した。（三〇代男性）

つまり、デモに連れ立っていくような身近な相手はいないが、興味・関心はある潜在的な参加者にとって、国会前に多数の人が集まる映像は、参加を促す効果を持ったのである。こうしたおひとり様によって、国会前に参集するデモ参加者がさらに増えて、次のおひとり様を呼び込むという循環を生んだといえるだろう。

②おひとり様・お連れ様・団体様の参加のその後

この章では、反原発・反安保法制デモにおける初回参加を、おひとり様・お連れ様・団体様に分けて分析してきた。これらの違いは、その後の行動と意識にどのような影響を与えたのだろうか。

参加形態とデモの勧誘・情報拡散との関連を示したのが図4－7である。[13] 参加形態とデモの勧誘には関連があり、おひとり様の消極性が際立っている。お連れ様、団体様は自ら勧誘する側にもなるのに対して、おひとり様は誘われもしないし誘いもしない。その意味で、デモ参加が個人で完結していたわけである。

図4－7　参加形態とデモの勧誘・情報拡散

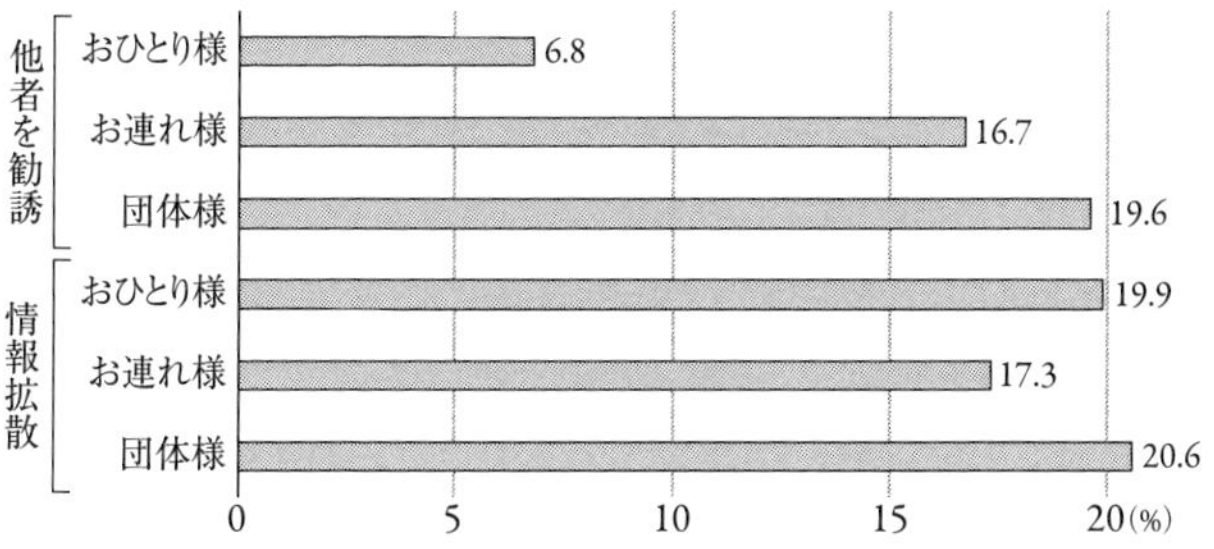

他方で興味深いのは、おひとり様、お連れ様、団体様で、情報提供や情報の拡散の有無には差がなかったことである。おひとり様は、直接的な勧誘はしないが、お連れ様、団体様と同程度に情報拡散を行っていた。その意味で、直接的な人間関係を介さない勧誘のネットワークが生み出されたことになる。それにより、あるおひとり様のＳＮＳ上の書き込みが、別のおひとり様の参加につながるという連鎖も起きていたのではないか。

次に、参加形態とデモの参加回数にも関連があった（図4－8）。おひとり様とお連れ様は、一回のみの参加が六割弱を占めており、団体様のような組織的基盤がないと継続的な参加につながりにくいことがわかる。参加回数ではおひとり様とお連れ様に違いはみられなかったが、おひとり様に特徴的だったのが、デモ参加のその後である。

デモ参加者たちはその後の考えや行動に一定の変化が生じており（第7章参照）、すべての項目で参加形態との関連がみられた。

図4－8　参加形態とデモ参加回数

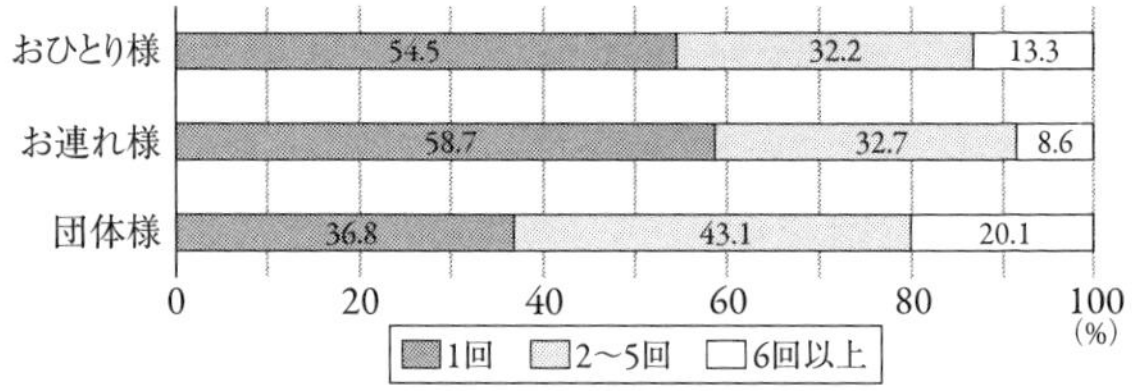

ここで注目したいのが、「新たな知り合いができた」「前よりもデモの限界を感じるようになった」の、二つの項目である。お連れ様や団体様と比べて、おひとり様は新たな知り合いができておらず、デモの限界を感じている（図4－9）。

仮におひとり様が、デモ会場で新たな知り合いをつくったり、周囲の人を勧誘したりしたら、二回目以降はお連れ様や団体様に転身した可能性もある。だが、私たちの調査結果をみる限り、筆者のように情報の拡散を行うだけで、単身・一回限りの参加で完結したケースが多かった。そして、デモに参加して限界を感じる割合も高かった。

こうしたおひとり様の心情は、音楽やスポーツのイベントに家族や友人、あるいはグループで参加した時と、一人で参加した時の心情の違いを想像すれば理解しやすい。お連れ様や団体様の場合、本来はデモに参加するのが主目的だとしても、誰かと行動を共にすることから得られるものも少なくない。たとえば、会場で一緒に盛り上がったり、デモの後に一緒に食事や飲みに行ったりすることもできる。あるいは、同行者の紹介やグループ同士の交流によって、新たな知り合いを得ることもあるだろう。

それに対しておひとり様の場合、デモに参加することを目的として、単身で開催地に赴く。他

図4－9　参加形態とデモ参加後の変化

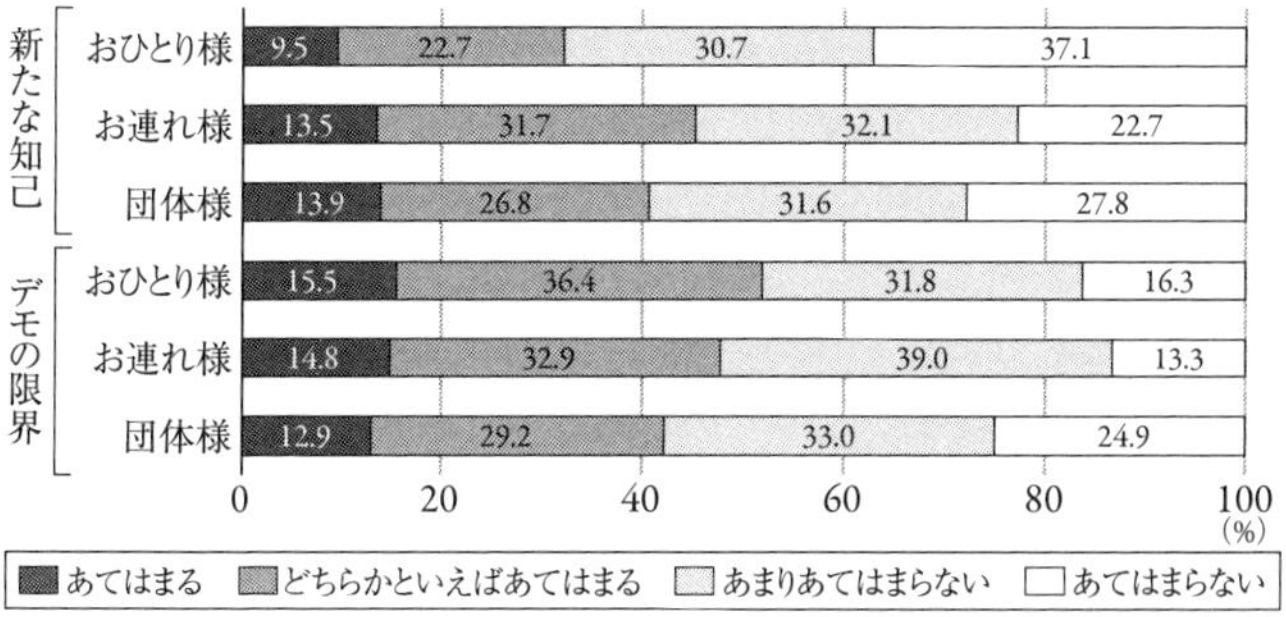

の参加者に話しかけたり、新たな知り合いをつくったりすることは、お連れ様や団体様よりもハードルが高い。解散後に一人で帰路につきながら、目的が達成されたのか、冷静に振り返ることもあるだろう。そのため、デモ参加によほどの満足感や達成感が得られなければ、限界を感じやすくなる。

　加えておひとり様の参加者は、反権威主義度が高い人々である。自身の判断でデモに足を運ぶが、反権威主義的な眼差しは、周囲のデモ参加者にも向けられる。その心情がうかがえる例として、次の二人の自由記述をみてみよう。いずれも反権威主義度がデモ参加者の平均値より高く、デモの限界を感じたという。二人ともデモには一回のみの参加であった。

> 反原発のデモに一回だけ参加したが、反対反対と叫んでいるだけで非常に失望した。具体的な提案が全くない。反対の声が政治家個人に対する罵倒・悪口に変化しとても共感できるものではなかった。（五〇代男性、反原発デモのみ一回参加）

勢いやうねりは感じたが、熱くなっている人たちはあまりにも二分法的な発想で、「九条は改正していいんじゃない？でも、集団的自衛権はありえない」という考え方の私はどちらにも入らない。反安保の老闘士の方々にちょっと違う意見を言うと、あきれ返ったような顔で批判される。結局ドグマじゃないかと思った。（五〇代女性、反安保デモのみ一回参加）

この二名のように、原発や安保法制について二分法と異なる議論を期待していた参加者にとって、デモの中心を担う組織や人々もまた権威主義的な存在と映る。家族や友人、そして所属団体で盛り上がったり飲みに行ったりすることもなく、失望感だけが残ったのだろう。こうして継続的なデモ参加にはつながらなかったおひとり様の参加者が一定数いたのではないだろうか。

5　おわりに

三・一一後の社会運動は、おひとり様という特異な参加者を生み出した。その特徴をまとめてみると、実はかなり複雑である。

お連れ様や団体様と比べると、直接的な社会関係が弱い。その割に、ＳＮＳ上での情報拡散は活発に行っており、単に内気なだけなのかもしれない。――これらはおひとり様の定義から容易に予測できる特徴である。しかし、自民党・公明党支持が比較的多く、周囲に理解者がいないため、お忍びでデモに行く場合もある。さらに、群れるのが嫌いな反権威主義者という側面も浮かび上がった。

こうしたおひとり様がデモに参加するうえでもっとも適していたのが、国会前の反安保法制デモだった。つまり、原発事故による不安からつながった人々による運動という理解は、必ずしも当てはまらない。むしろ、メディアで報道される安倍政権の強引さ、それに抗議する多数の人々という構図の方が、おひとり様を行動に駆り立てたといえよう。

しかし、おひとり様は、周囲の人々を誘ったり、新たな知り合いをつくったりせず、一回限りの参加にとどまり、デモに限界を感じやすい人々でもあった。これは、筆者が感じたのとは別の意味で、両義的である。おひとり様は単身であってもデモに参加できる半面、デモ参加において社会関係がない分、継続的な参加に結びつきにくいという面があった。だが、それだけではない。おひとり様は、反権威主義的な意識によって能動的に現地に赴くものの、それと同じ眼差しを周囲の参加者にも向けて、デモの限界を感じてしまう。このようなおひとり様は、政府に対して「民主主義ってなんだ?」と問い直すとともに、デモに対しても「デモってなんだ?」と問いかける存在だったといえるだろうか。

ここで残るのは、おひとり様のデモ参加は日本にだけ広くみられるのか、日本でも三・一一後の反原発・反安保法制デモだからこそ出現し得たのか、という疑問である。少なくともこの章が示唆するのは、後者である。おひとり様は、日本特有の社会運動への忌避感（第6章参照）を強くは持っておらず、ただ社会関係に乏しいため、単独行動をとっているという人々であった。個人化の進展とＳＮＳの普及という背景のもと、福島原発事故や安保法制強行採決のような誘発的な出来事によって、一人でのデモ参加が可能になった。こうした条件が揃えば、他の国でもおひとり様が大挙してデモに現れる事態は十分に起こり得る。

ただし、次に日本で大規模なデモが発生した時に、おひとり様の比率がどの程度になるのかはわからない。今回登場したおひとり様の参加者は、社会関係に乏しく、反権威主義的な意識が強いという特徴のため、継続的なデモ参加には至らなかった。同じ人々が失望感を払拭して再びデモに参加するには、デモの側に多様な意見を許容する柔軟性が求められる。だがそれは、デモに継続して参加する団体様が求める方向性と対立するかもしれない。おひとり様の参加者は今後どのような姿をみせるのか、筆者自身もその一人として、引き続き検証していきたい。

1――平林祐子「何が『デモのある社会』をつくるのか――ポスト三・一一のアクティヴィズムとメディア」、田中重好・舩橋晴俊・正村俊之編著『東日本大震災と社会学――大災害を生み出した社会』所収、ミネルヴァ書房、二〇一三年、一八四頁。
2――小熊英二「波が寄せれば岩は沈む――福島原発事故後における社会運動の社会学的分析」『現代思想』四四巻七号、二〇一六年、二一八―二一九頁。
3――小林哲夫『シニア左翼とは何か　反安保法制・反原発運動で出現――』朝日新書、二〇一六年、二五〇頁。

4——Wahlström, Mattias and Magnus Wennerhag. 2014. "Alone in the Crowd: Lone Protesters in Western European Demonstrations," *International Sociology* 29(6): 565-83.

5——具体的には、初回参加時に「一人で参加した」を選択し、かつデモ参加のきっかけとして「家族・友人・知人から誘われた」を選択しなかった回答者を指す。なお本調査では、同行者の有無については三・一一後に「最初にデモに行った時」のことを尋ねているのに対し、参加のきっかけは反原発デモと反安保法制デモで別個に尋ねている。時系列的に「反原発デモのみ参加者」と「反原発デモと反安保法制デモ両方の参加者」にとっての「最初」は反原発デモ、「反安保法制デモのみ参加者」にとっての「最初」は反安保法制デモであると解釈できるため、前者では反原発デモの参加のきっかけ、後者では反安保法制デモの参加のきっかけの設問を使用した。

6——ここには、同行者の有無で「一人で」を選択し、かつきっかけとして「家族・友人・知人から誘われた」を選択した回答者と、同行者の有無で「家族や恋人と」もしくは「知人・友人と」（その両方も含む）を選択し、かつ「団体や運動のメンバー」を選択しなかった回答者が含まれる。

7——Wahlström and Wennerhag, op.cit.

8——注5と同様に、「反原発デモのみ参加者と、反原発デモと反安保法制デモ両方の参加者」は反原発デモ、「反安保法制デモのみ参加者」は反安保法制デモの参加のきっかけを参照し、両者の変数を統合したものを変数として使用した。なお、おひとり様はその定義にあたって「家族・友人・知人から誘われた」者を除外しているため、ケースが〇人となる。

9——山田真裕「投票外参加の論理」、『選挙研究』一九巻、二〇〇四年。

10——Wahlström and Wennerhag, op.cit.

11——平林、前掲論文、一七八—一七九頁。

12——この設問は反原発デモ・反安保法制デモそれぞれについて尋ねているため、「反原発のみ参加者と、反原発と反安保法制両方の参加者」は反原発デモ、「反安保法制デモのみ参加者」は反安保法制デモを基準として、開催地を定めた。なお、デモに複数回参加した者は、二回目以降も初参加時と同じ参加形態で参加したという仮定で分析を進めた。

13——勧誘・情報拡散および参加回数も、反原発デモ・反安保法制デモで別個に尋ねているため、「反原発のみ参加者と、反原発と反安保法制両方の参加者」は反原発デモ、「反安保法制デモのみ参加者」は反安保法制デモの勧誘・情報拡散と参加回数を参照し、それぞれ両者を統合したものを変数として用いる。なお分析の都合上、反原発・反安保法制デモの両方参加者も反原発デモのみの参加回数を示している。

第5章

デモ参加をめぐるジェンダーギャップ

――バーバラ・ホルトス／樋口直人

1 デモ参加とジェンダー――問題の所在

デモの現場に行ってみる。労働組合から派遣された男性たち、生協で活動しているとおぼしき女性たち、歌声喫茶風にギターをかき鳴らす年配の女性もいる。では、男女どちらがデモに多く参加していたのだろうか。三・一一後の社会運動に関する（特に海外の）研究をみると、少なくとも反原発運動では女性の方が多かったと結論づけたくなる。[1] 放射性物質が大量に放出された結果、女性、特に母親が反原発の意識を強く持つようになり、運動が生み出されたのだ、と。

しかし、本当にそうなのだろうか。女性に注目した研究のほとんどは、小規模な質的調査にもとづいており、女性の参加をきちんと検証してきたとはいえない。私たちの調査結果をみると、図5-1のように反原発・反安保法制デモともに男性の方が高い参加比率を示す。大づかみにいえば、デモの現場に行くと三分の二弱が男性ということになるが、これは日本だけの話ではない。どの国でも程度の差はあれジェンダーにより運動参加の程度は異なっており、多くの場合、男性の方が多く参加するといわれている。[2]

男女で違うのは比率だけではなく、参加動機についてもいえるようだ。私たちの調査では、反原発デモに関する自由回答で子どもや孫に言及したのは、男性で二〇名、女性で二一名と、ほぼ同数だった。一方で、政党に対する不満を述べた男性は一六名に対して女性は六名と大差がついた。反安保法制デモについても、子どもや孫のためとした男性は二三名、女性は一五名だったが、政党に触れたのは男性二三名で、女性は一〇名だった。これは常識的な結果で、女性は家族への思いから、男性は政治への憂慮からデモに参加するというわけだ。

では、男性と比べて女性はなぜデモに参加しないのか。動機の違いだけでは、デモの参加比率にこれほどの男女差がつく理由を説明できない。女性は争点自体に関心がないのか、社会運動が嫌いなのか、運動に関わる余裕がないのか、そもそも運動との接点がないのか。このように問いを細かく分けることで、女性の運動参加を妨げる要因を考えることが、この章の目的となる。

図5－1　デモ参加比率の男女差

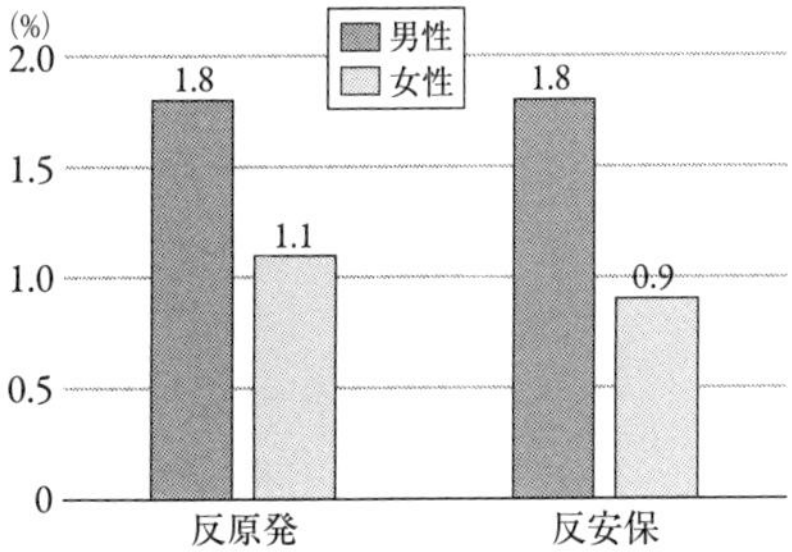

2　女性は保守的なのか

一般に、リベラルな人の方が社会運動に参加しやすいといわれる。[3] 支持政党は運動参加にも影響しており、支持する政党の右派色が強まるほど参加比率は低くなっていく。後述するように、女性は男性よりもリベラルであり、政治に無関心というわけではない。では、震災後の状況に関して、ジェンダーによる関心・意見の差はどの程度みられるのだろうか。

震災後の首都圏住民にとって、直接かつ潜在的に最大の心配事となったのは、食べ物や水の放射能汚染と健康への影響だった。これについての関心の程度は、ジェンダーによる差が大きい。女性のうち五八％が何らかの影響があったと答えているのに対して、男性では四六％だった。また、取り返しのつかない環境破壊が起きたと思う割合も、女性の方が高い。

すでに述べたように、母親であることは、運動参加と関連があるといわれている。たとえば次に紹介する女性は、チェルノブイリ原発事故が発生した当時、子育ての真っ最中だった。筆者のひとり（バーバラ）は、福島第一原発事故後に結成された「千代田区こどもを守る会」を調査したことがある。この女性は、こうしたグループが各地に生まれる二〇年以上前に、子を持つ母として反原発運動に参加し、福島での原発事故に至って再び街頭に出ることとなる。

約三〇年前、子どもが通っていた幼稚園で知った「母の会」を通じ原発反対の運動に関わってきたので、この震災でその気持ちを新たにした。（六〇代女性）

図5－2で、子どもの有無による危機感の違いをみていこう。子どもがいると回答した人の場合、母親の六三％に対して父親の四八％が「気を付けるようになった」と答えている。さらに、震災時に〇～五歳の子どもがいた親についてみると、心配する比率はさらに高まる（母親六六％、父親五二％）。これは、子どもの方が放射能汚染の影響を受けやすいから親は特に心配するという、

これまでに行われた調査での知見と一致する。とはいえ、次に紹介する自由回答では、子どもへの言及を除けば、特にジェンダーによる違いは感じられない。

放射能は目に見えないのでこれから幼い子ども達への影響が心配されますし、後世にも心配を残すことになる。（六〇代女性）

図5－2　食べ物や飲み物に気をつけるようになったと答えた比率

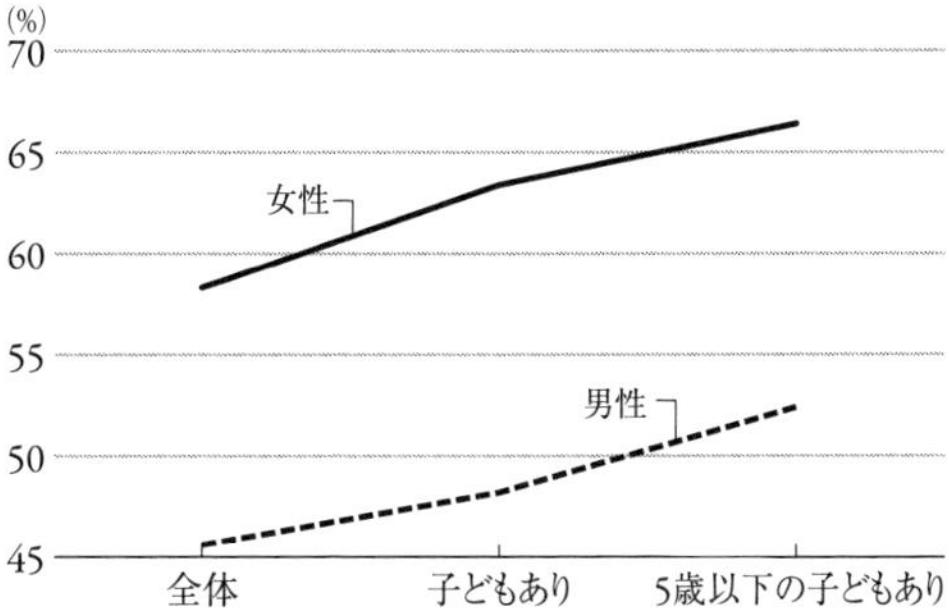

放射能の危険性が明らかにされても、充分な危機感が感じられない。（五〇代男性）

女性は全体として、環境問題や原発のリスクに特に強い関心を持っており、これは先行研究でいわれていたことと一致する。[4] しかし、子どもがいることで敏感になる度合いは、男女ともほぼ同じであり、海外の研究でいわれていたのとは異なる。[5] もちろん、「父親として」ではなく「母親として」運動が組織され、陳情の提出や集会の主催など表に出て活動しているという違いはある。が、男性であっても子どもがいれば、食品や飲料水の安全性に敏感になることを無視しない方

図5－3　原発と安保に対する意見の相違

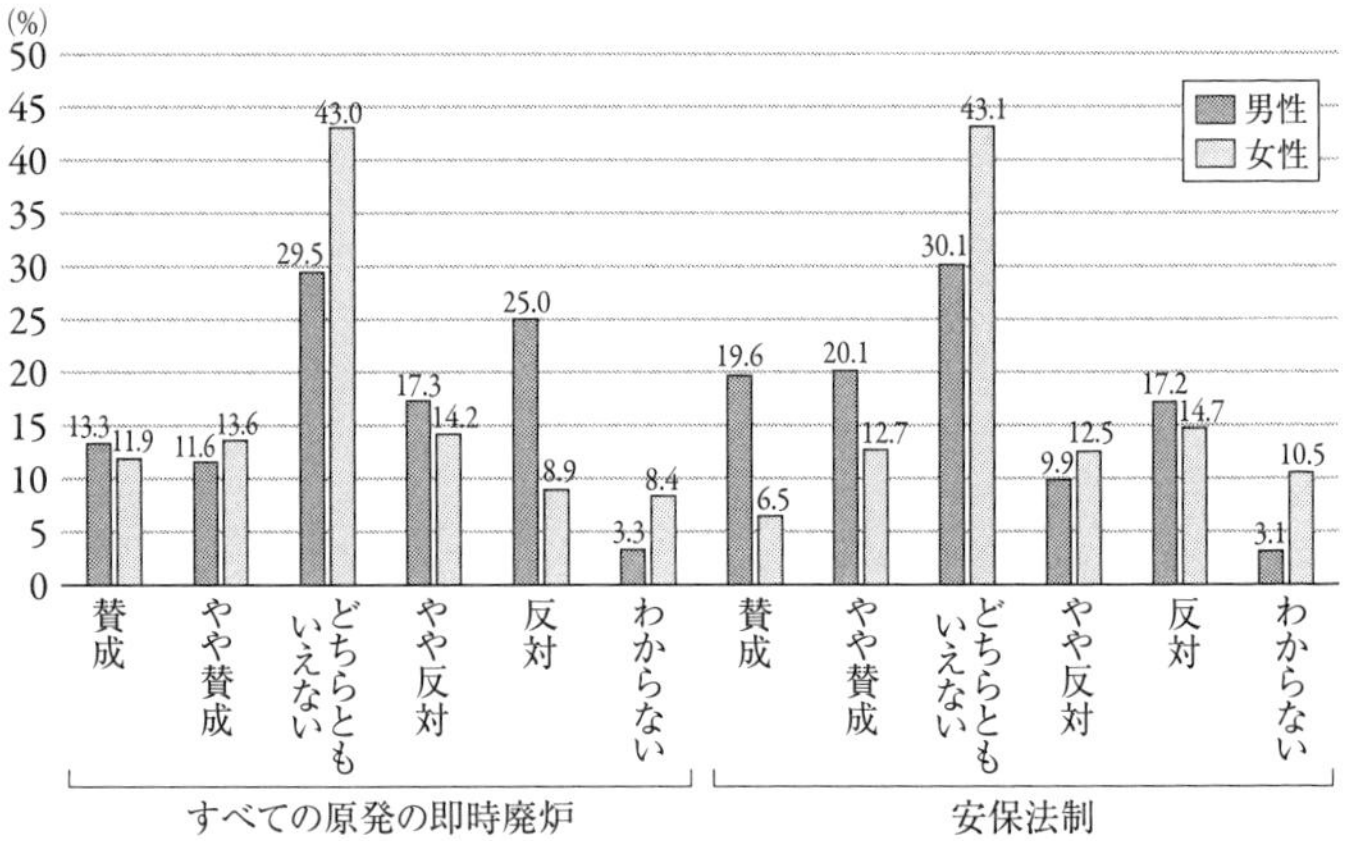

がよい。そうでないと、日本は家父長制が強い社会だから変わらないという、欧米からみたステレオタイプを繰り返してしまいかねない。

次に、原発に対する態度をみてみよう。すべての原発の即時廃棄について意見を尋ねると、女性の方が反原発寄りだった（図5－3）。とはいえ、もう少し細かくみると、やや違った像も浮かんでくる。男性は、明確に「賛成」だとする比率が高い一方で、反対する比率も高かった。女性で特に目立つのは（原発に限らず一般に女性に多い回答である）「どちらともいえない」で、原発の廃棄に強く反対する人は明確に少なかった。

原発に対するこうした傾向は、安保法制についての態度にも見てとれる。女性の方が「やや反対」という回答が多く、「どちらともいえない」という回答はさらに多かった。「わからない」と態度を保留する比率も、女性の方が高い。他方で、「反対」だとする比率は男性の方が女性より少々高いものの、「やや反対」と合わせれば男女ともほぼ同程度であり、女性の方が「賛成」「やや賛成」とした比率が低いので、全体としてみれば女性の方が反安保法制寄りの態度を示していると言えよう。

原発、安保法制に対する女性のこうした意見分布は、女性の政治への態度が全般的にリベラルであることを反映している。もっとも、無党派の比率は女性が六九％であるのに対して男性は五〇％と大きな差があり、左派政党を強く支持してはいない。とはいえ女性は、自民党を支持しない傾向があり、男性の自民党支持者は二九％なのに対して女性では一七％に過ぎない。また、政治的な意見に関して女性は中間を選ぶ傾向があり、保守―リベラル、左派―右派のいずれかを問う質問には、それぞれ六割、七割以上の女性が「どちらともいえない」と回答している（こうした傾向は、特に若い女性と短大卒以下の女性で顕著にみられる）。しかし、女性の方が自らを左派だと任じる傾向は強かった。

このように書くと、女性は真ん中よりの意見が多く、強く反対しないから抗議行動に至らないのではないか、そう反論したくなる人もいるだろう。しかし、私たちのデータでは、明確に「反対」だと回答する比率をみても、特に女性の方が低いわけではない。原発と安保法制に対する態度をみる限り、女性の方が多くデモに参加するはずだという見方は揺らがない。

3　女性は運動嫌いなのか

①社会運動への共感

なるほど、原発や安保法制といった争点については女性の方がデモ参加者に近い意識を持っているのかもしれないが、女性は社会運動それ自体を過激なものとみなして忌避するのではないか――。このような反論が予測されるが、果たしてそれは当たっているのだろうか。

私たちは今回の調査で、政治学で用いられる感情温度という尺度を使って、反原発・反安保法制運動に対する好感度を聞いている。嫌い＝〇度、好き＝一〇〇度として感情温度をみてみると、反原発運動は四七度であるのに対し反安保法制運動は四一度で、前者の方が好感を持たれている。これは、世論が反原発寄りであることの反映だろうが、この章で重視したいのはこの値ではない。男女間の相違こそが重要で、図5－4から女性の方が社会運動に対して好意的であることがわかる。

こう書くと、一般に女性は否定的な評価を避ける傾向があるためではないかと思われるかもしれないが、そうではない。この図は、女性の温度から男性の温度を引いた値を示しており、正の値であれば女性の方が強く支持していることを示す。図をみると、自民党、安倍首相、反中国・韓国を主張する運動の値はマイナスになっているから、これらは男性がより好んでいることになる。それに比べると、反原発、反安保法制運動だけでなく共産党に対する好感度も、女性の方が高い。

前節でみたのは、女性の方が原発や安保法制に対して反対する傾向が強い状況だった。これは、女性の方が食の安全性に敏感であるとか、子どものことを考えて戦争を嫌うといった、争点を限定したうえでの態度とみることもできる。しかし図5－4をみる限り、こうした見方は当たっておらず、全体として保守政治を支持していないという意味で、女性は反体制的な志向が強いといっていい。

図5－4　政党・社会運動に対する好感度の男女差

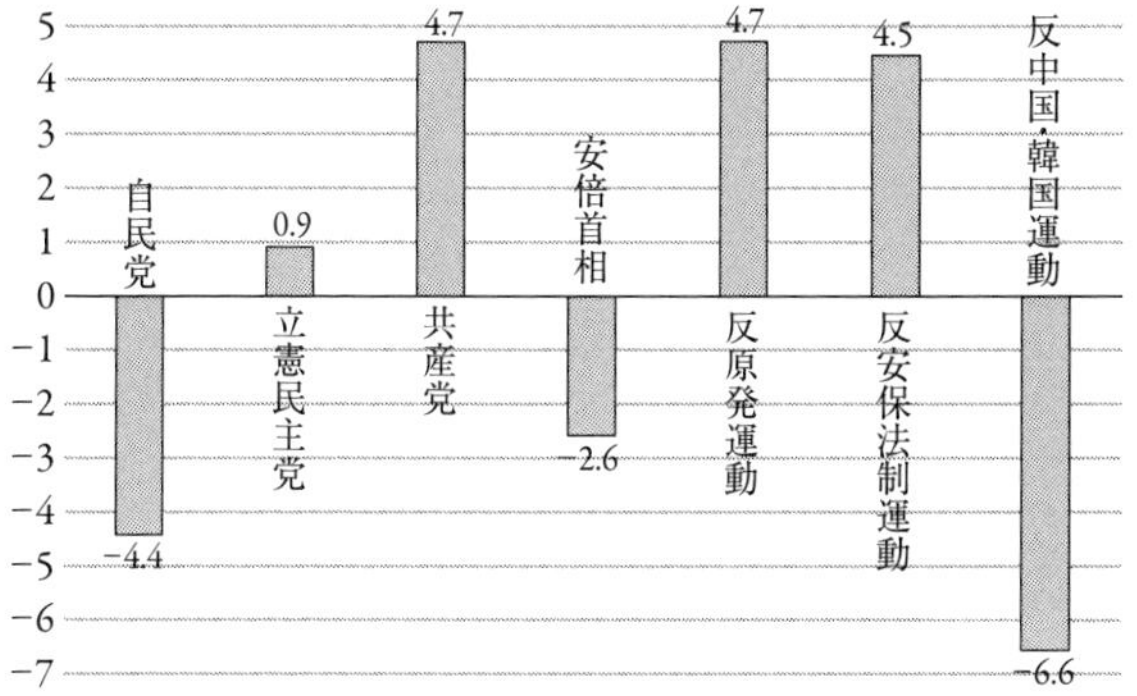

②女性はデモが嫌いなのか

運動には好意的で、右派に対しては距離を置く――。こうした要素は、本来なら女性の方が運動に多く参加する結果をもたらすはずである。にもかかわらず、なぜ女性の方がデモへの参加が少なかったのだろうか。

こうした疑問をもとに、デモに対する態度をみたのが図5－5と図5－6である。前者では、「デモ活動には、何かしら怖いイメージがある」かどうか尋ねた結果を、年齢・性別ごとに示した。「そう思う」から「そう思わない」まで五段階で選んでもらった結果であり、中央値である三より値が高ければ、「デモは怖い」という感覚が優勢になる。六〇代男性と七〇代男女を除けばいずれも三を上回っており、デモに対する恐怖心は高齢層以外でかなり共有されているといってよい。同時に、男性よりも女性、特に年齢が若くなるほど女性の方がデモを怖いとみる感覚が強まっていく。

　デモに関して尋ねたもう一つの項目、「大規模なデモ活動であっても、政府のすることを左右する力はない」と思うかどうかも、図5－6をみると、図5－5と同じような結果になった。図5－6では、値が三を超えると、デモの効果に対して懐疑的であることを示す。高齢男性を除けば、いずれも懐疑的であることがわかる。

図5－5　デモに対する恐怖心

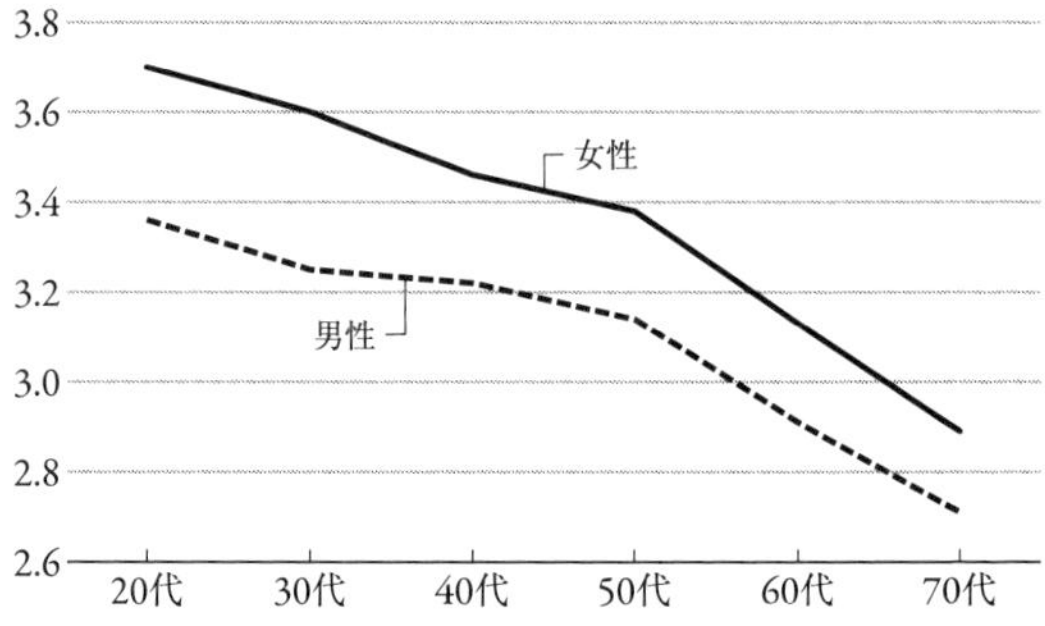

　図5－5ほど差はないが、どの年代でも女性の方が男性よりもデモの効果を認めていないことが見てとれる。特に四〇代以下の女性は、デモの効果に対してもっとも懐疑的な見方をしており、これはデモ参加に対する阻害要因となるだろう。ただし、図5－5とは違って図5－6では、若

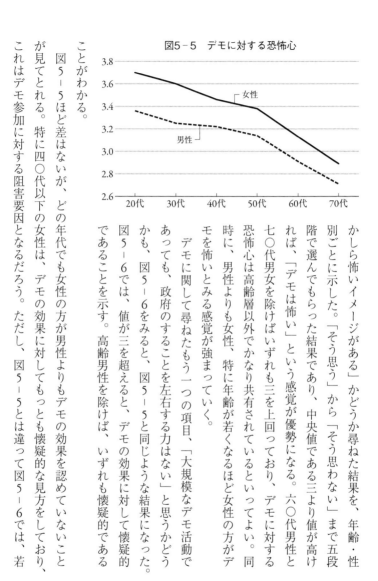

年層になると男女差がかなり縮まっている。

　これまでの結果とは異なり、図5－5、5－6は女性がデモに参加しない有力な手掛かりを示唆している。すなわち、女性の方がデモを近寄りがたいものとみなして敬遠する。また、それよりやや度合いは低くなるものの、女性の方がデモをやっても効果はないと考える傾向がある。こうしたジェンダー間の相違は、日本では教育を通じて男女間で異なる政治観を持つようになることと無関係ではない。女性は文化的教養の延長として高い学歴を得る一方で、男性は塾など教育投資が学歴に直結する。[6] 男性にとって教育は立身出世の手段としての価値を持ち、外界への働きかけたる政治参加にも積極的になる。とはいえ、ジェンダーによる違いは日本に限ったことではなく、ドイツでは女性は政治に向いていないという意識を持つようになる。[7] アメリカでも、女性の方が社会運動に関わらないように教育され、抗議活動に出かけてはいけないと親に言われるという。[8]

図5－6　デモの効果に対する懐疑

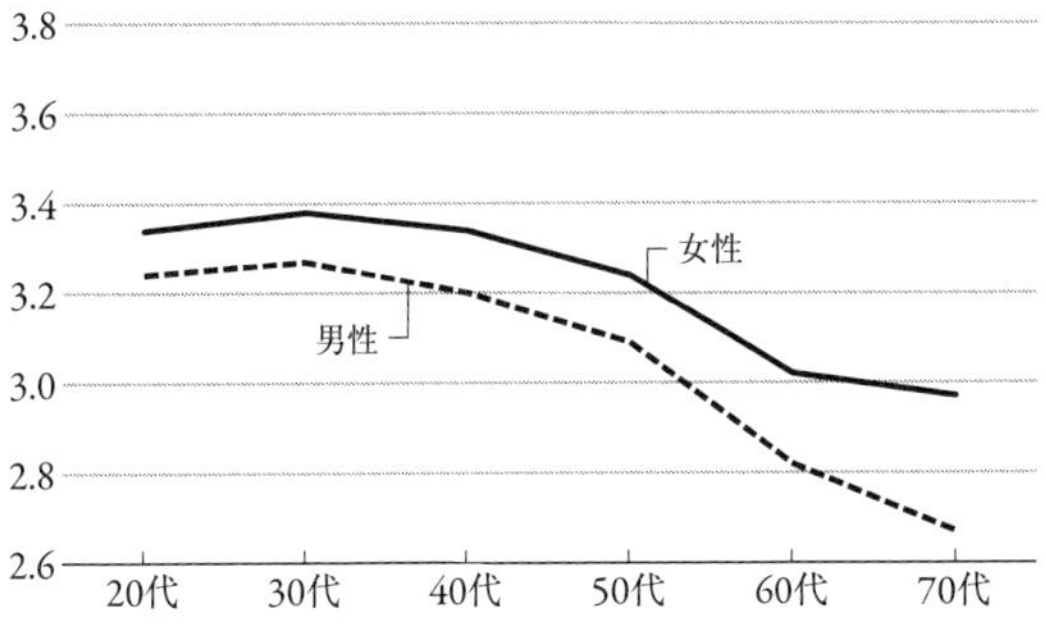

　こうした教育を受けた結果、女性は男性よりも政治的無力感を強く持つようになる。私たちの調査でも、一般市民に政治を動かす力はない、民意は政治に反映されていないと感じる程度

は男性より女性の方が強かった。デモに対する冷ややかなまなざしは、日本では他の国よりも支配的とみてよいが（次章参照）、女性の場合はそこに政治的無力感が加わることで拍車がかかる。

第4章でみたように、「おひとり様」は男性に多く、「お連れ様」は女性に多いのも、こうした意識の差によるところが大きい。デモが怖いのに、そこに単身で参加しようとは思わないだろう。その場合、次に示す自由回答からもうかがえるように、「友人経由」でお連れ様になる場合は、女性同士の参加が多くなるだろうが、「家族経由」の場合は、男性（夫）が主導して女性を連れていくのが基本となる。

【友人経由】尊敬する友人に誘われたから。（六〇代女性）

【家族経由①】家でニュースなどを聞いていていじいじとしていたが、家族がこれではいけない何か行動しなければと言い出し、国会へデモに行くことにした。（六〇代女性）

【家族経由②】夫も参加するのでついていった。（五〇代女性）

社会運動に参加する際の経路がジェンダーによって異なることは、多くの研究が指摘してきた。それによると、男性は街中で声をかけられたり組織を通じて勧誘されるが、女性は自らが持つネットワークを経由することが多い[9]。それに加えて、男性はインターネット、SNS、新聞、テレビでデモを知って参加する比率が高かった。男性は、自分で情報を集め、参加するか否かを自分で決めるが、女性は人とのつながりを介して運動に加わっていく。

女性が親族や友人から勧誘されることが多いのは、つき合いの広さの表れと考えることができる。だが、日本ではおひとり様による参加比率が高く(第4章参照)、これは単身では参加しにくい女性のデモ参加を抑制することにつながる。

4　女性は参加するヒマがないのか

かつて女性は「全日制市民」と呼ばれ、地域に不在がちな男性に代わって、生活に根差した社会運動の担い手として注目された。一般に、社会運動が発展段階に入ると男性がリーダー層を占めるようになるが、草の根から生まれた初期段階では女性の役割が大きい[10]。他方で男性は、労働組合や政党で政治的な活動をすることが多いといわれる[11]。私たちのデータでも、労働組合の動員でデモに参加したと答えたのは男性四九名なのに対し、女性は一六名と確かに差がついていた。それに対して子どもを持つ女性は、草の根の活動、ボランティア、近隣組織など、小規模な活動に関わっていた[12]。

こうした議論は、専業主婦層は職場での関わりから排除される代わりに、時間的余裕があるから地域活動に参加するのだという前提にもとづいている。しかし、カナダの環境運動において女性の存在感がないのは、家族の世話、仕事と家事の二重負担により時間的余裕がないからだとさ

図5－7　反原発デモへの参加比率

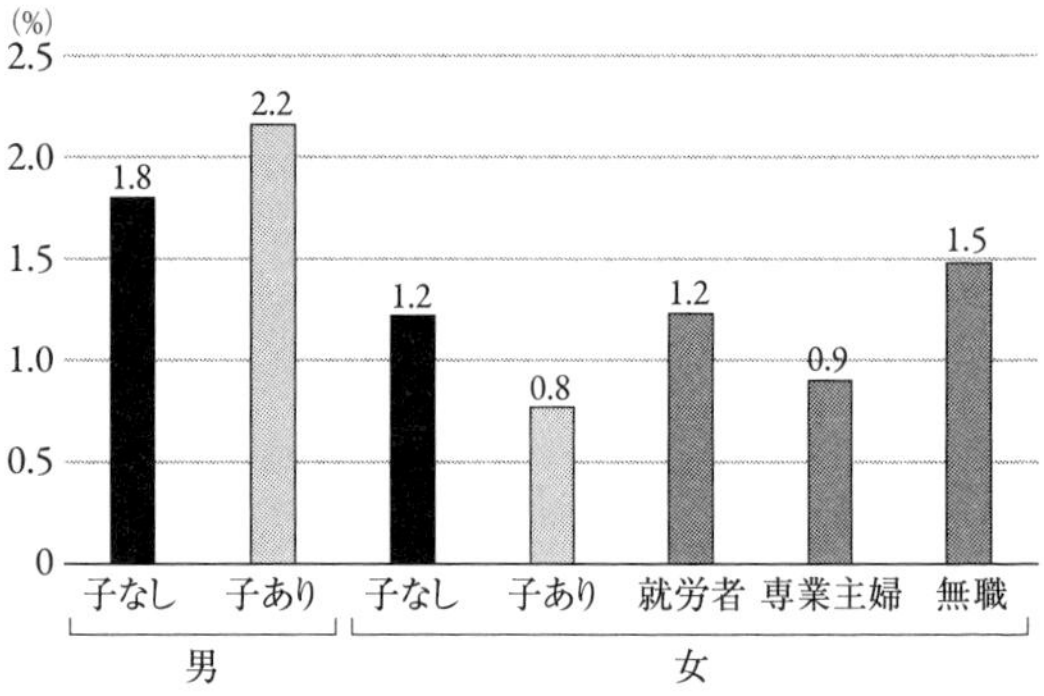

れる。[13] 日本も同様に、特に夫がフルタイム雇用の場合、家事と仕事の二重負担により女性は運動に参加できないのだとされる。[14]

どちらが正しいのか確かめるには、家事や育児、介護などによって生じる時間的余裕のなさが、運動参加とどのように関係するかをみていく必要がある。

まず、子育て中の人は時間に余裕がなく、社会運動に参加しにくいと考えられるが、そこでも男女差がある。図5－7をみると、男性は一二歳以下の子どもがいる方がむしろデモへの参加比率が上がるのに対して、女性は子どもがいると参加比率が下がっていた（反安保デモについても同様）。すでにみたように、男女とも子どもがいる方が原発事故に対する意識が高くなるにもかかわらず、デモ参加についてはこうした違いがある。

これには二つの要因がある。第一に育児中であっても男性はデモに参加できるが、女性は家庭内の労働に縛られる結果、男性と同じように運動に参加するだけの時間的余裕がない。その意味で、男性の方がより多くデモに参加している理由の一つは、女性と違って家庭内労働を負担しないがゆえの身軽さにある。

第二に、子育て中であっても仕事をしていれば、デモのような社会的活動につながるようなネットワークをより多く持つことができる、ということがある。専業主婦の場合、自治会やＰＴＡ、生協とのかかわりが深いが、これらはデモ参加を促す効果を持たない。このため、仕事をしている女性よりも専業主婦の方が、デモへの参加率が低くなる。

図５－７において女性の参加比率が一番高いのは、すでに仕事をリタイアした無職の人たちだった。つまり、家事や育児、さらには仕事から解放されて初めて、女性はデモに参加する自由を手にするのである。地域に不在がちな男性と異なり「全日制市民」だから、女性は運動の担い手になるという議論は、一部の活動を過大評価しているといわざるをえない。逆にいえば今後、女性の就労比率が高まれば、デモ参加に見てとれる男女間の格差が一定程度は縮まることも予想できる。

5　もっとも重要な要因は何か――運動から排除されてきた女性

デモに対する否定的な見方、時間的な余裕のなさは、確かにデモ参加を抑制する要因となってきた。それに対して、社会運動が掲げる目標への支持や運動それ自体への好感度の高さは、女性による運動参加を促す要因である。抑制をもたらす要素は、促進をもたらす要素を帳消しにする

図5－8　年代別デモ参加比率

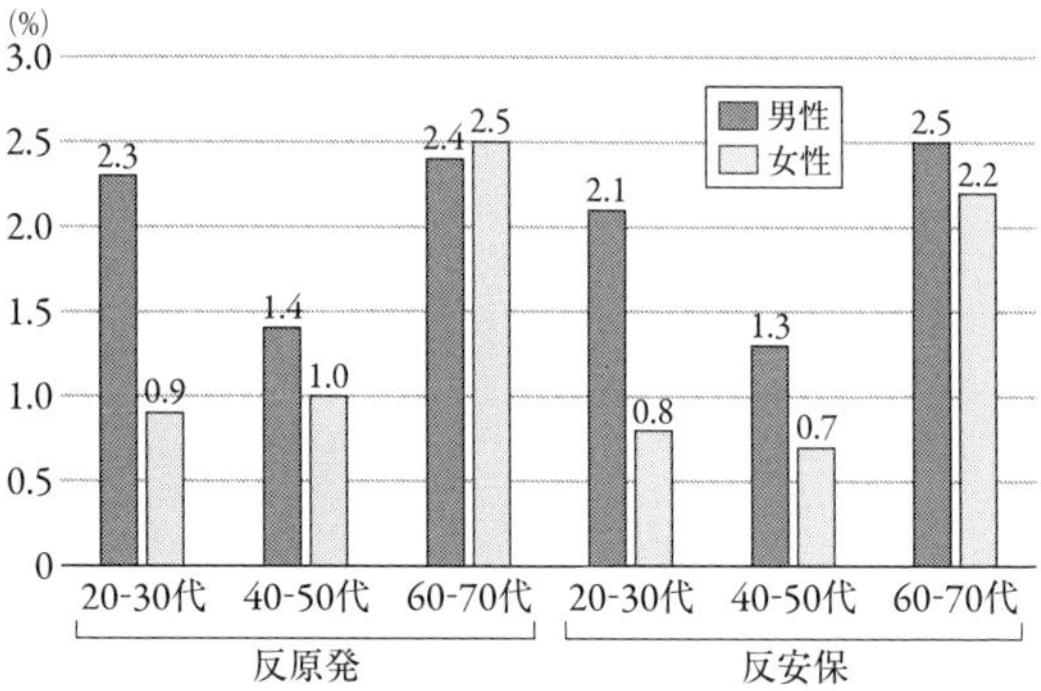

ほど強くはなく、女性の方がデモに参加しない理由の決め手とはならない。

　では何が重要な要因なのだろうか。そのための手がかりを得るために、まずは年代ごとの違いを示した図5－8をみていきたい。二つの運動ともおおむね同じ結果となっており、共通してみられる傾向といってよいだろう。全体として若い方が男女差は大きく、年齢が上がるにつれて差が縮まっていく。六〇～七〇代では逆転現象すら生じており、女性の方が反原発デモへの参加比率がわずかながら高い。

　これを別の角度からみると、男性より女性の方が年代による参加度合いの違いは大きい。子を持つ母親による運動という一般的なイメージとは異なり、女性はむしろ年を重ねるほど積極的になり、「シニア左翼」の多数を占めていたとすらいえる。しかし、デモに対する恐怖心やデモの効果に対する懐疑に関しては、高齢層でも男女の差が埋まることはなかった。にもかかわらず、なぜ高齢層になるとデモ参加の男女差が縮小し、逆転さえするのだろうか。

　これには、過去の運動経験が大きくかかわっている。第2章で述べたように、東日本大震災以前にデモに参加した経験のあるベテランは、運動の中核的な担い手といってよい。常識的に理解できるように、ベテランの比率は年齢が上がるにつれて高くなっていく。そして男女間の差はどの年齢にも存在するが（七〇代におけるベテランの比率は男性で一一％、女性で六％）、中年以上で縮小する傾向がある。つまり、大規模デモに不可欠なベテランの「ストック」に関していえば、年齢が高くなると女性の存在感が増していくわけである。

図5－9　ベテランのデモ参加

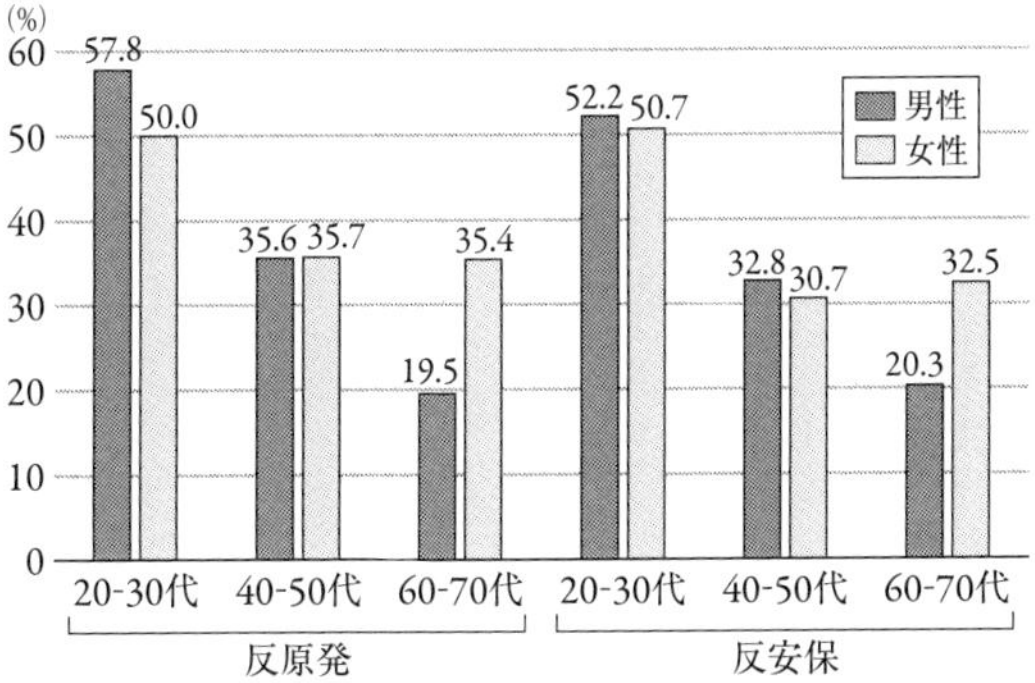

さらに図5－9は、ベテランが実際にデモに足を運ぶ「フロー」に関して、男性優位のデモという基調とは異なる現実を示す。この図は一見すると、ベテランの中でも三〇代以下は過半数がデモに参加しており、元気な若者というイメージに近い結果となっている。これは、三〇代以下が近年になってデモに参加した「現役世代」であることによるが、若年層のベテランがそもそも多くないため、全体に占める割合は高くない。

それより重要なのは、六〇代以上でのデモ参加比率が男女で逆転していることである。この年齢層の多くは、若い頃にデモに参加したがその後は特にかかわりのない人が多く、それゆえ全体としての参加比率はもっとも低い。しかし、男性が二割前後にとどまるのに対して、女性は三割以上がデモに参加しており、違いが際立っている。

この章の冒頭で、女性の方がデモに参加しないのはなぜかという問いを掲げたが、図5－9の結果は、これまでとは異なる答えを示唆している。デモ未経験者の場合、反原発デモ（男＝〇・七%、女＝〇・五%）、反安保デモ（男＝〇・六%、女＝〇・三%）、いずれも男性の方が参加比率が高い（これは図5－1で示した通りである）。しかし、デモを経験したことのあるベテランに限れば、全体として女性の方が震災後のデモにより多く参加していた。

女性にとって、最初にデモに参加する際のハードルは男性よりも高い。これは、労働組合といった組織を通じてデモに参加することが多い男性と異なり、「団体様」としての義務感や安心感がない状況で参加せねばならないことにもよるだろう（第4章参照）。こうして女性は、社会運動の世界から排除されてきたともいえる。しかし、ひとたびデモに参加した女性は、男性よりもむしろ積極的にデモに参加する。なかでも年齢層の高いベテラン女性は、男性よりはるかに多くデモに参加していた。

ここには、デモを仕切るのは男性で、女性には補助的な役割しか与えられないといった、運動内部での男性支配とは異なる問題が存在する。[15] 経験者を比べたとき、男女差は消えるどころか女性の方がむしろ積極的にデモに参加していることに鑑みれば、女性は本質的にデモとの相性が悪いわけではない。ここで注目すべきは女性の側ではなく、女性の参加を阻むような社会関係のあり方だろう。

デモの経験があってもなくても、女性は身近な知り合いを通じてデモに参加する傾向が強い。男性の場合、人づてに参加する比率は低く、テレビやＳＮＳを介して参加するパターンが多くなる。その意味で男性の場合、デモの未経験者と経験者とで社会関係上の差はそれほどない。しかし、デモに参加した経験のない女性の場合、デモにいざなうような人が周囲にいないがゆえに、デモと無縁の世界を生き続けることが多くなる。それがデモ経験者になると、何かあった時にデモに誘い合うような社会関係を生きるように変化していく。その点で、女性の方がデモ参加によって——大げさに言えば——違う世界へと生まれ変わるような性質を強く持つ。

6　デモ参加をめぐる二つの世界——結語に代えて

三・一一後のデモが男性の数的優位で成り立っていたことは、筆者にとってやや意外であった。だが、これは意外でもなんでもなくデモの通例であることが、これまで蓄積されてきた社会運動論からわかる。では、大半のデモで男性優位になっているのはなぜなのか。原発や安保法制への態度、イデオロギー、社会運動への態度、時間的余裕、運動経験といった要素を、この章では検討してきた。そこでわかったのは、以下で述べるように、ジェンダーによって分かたれた世界だった。

社会運動が掲げる目標、ならびに運動そのものに対して、男性よりも女性の方が好意的な態度を明確に示す。これは、女性の方が原発や安保といった問題に対して敏感だという理由のみによるのではない。男性で目立つのは、原発でも安保でも体制側を強く支持する比率の高さであり、これは支配層に共鳴する男性がより多いことを反映している。それに対して女性は、少なくとも中立（どちらともいえない）の立場に立つことで、男性支配層から距離をとっているとみることもできるだろう。

時間という資源の配分をみると、女性の方が少ないという問題もある。実は子育て中であるかどうかは、男女合わせたときのデモへの参加率には影響を与えていない。というのも、子育て中であることは、男性にはプラス、女性にはマイナスの効果があり、女性の参加率が低い分を、男性の参加率が相殺しているからだった。仕事をしているか否かも、女性に限ってはデモ参加と関連していなかった。なぜなら、専業主婦ではデモ参加にマイナスに働き、定年を迎えて退職するとそれがプラスに働くことで、専業主婦の参加率の低さが相殺されるからである。つまり、仕事をしていない男性はかなりの程度運動に参加できるようになるが、女性はそうではない。女性は、仕事だけでなく、家事や育児、介護といった労働から解放されて初めて、運動に参加できるようになるのである。

デモに対する態度は、女性の方が否定的であった。社会運動に対して共感する一方で、運動参加に逡巡があったからである。デモ参加に対するハードルは、女性の方がより高いというのが現状だ。それにより、女性側には、体制に距離を取る形での静かな抵抗と、あきらめによる政治からの退却が生じる。だが、ひとたびハードルを乗り越えてデモに参加した女性は、男性以上に積極的に参加する傾向がある。これは、男性より女性の方が、デモに参加することで大きく変化することを示唆していよう。

女性がデモに行かない大きな要因として、連れ立ってデモに行くような人間関係を持たないことがあると、前節で指摘した。逆にいえば、デモを経験したベテラン女性は、男性よりもデモに行くような人間関係を豊富に持つようになる。お互い顔の見える関係を土台にデモに参加するという意味で、女性は男性よりも足腰の強い運動の担い手となるだろう。

第2章では、デモ参加それ自体が次のデモを生み出すと論じたが、これはジェンダー的な視点から修正する必要がある。

前節でみたように、女性のデモ参加者は高齢層に偏る傾向が強く、いわば過去の運動参加の遺産により女性のデモは可能となった。男性の場合は、若年層でも一定の参加があることから、デモ参加のベテランの「ストック」ができたことになる。それゆえ、男性については今後も息長くデモを組織する基盤が育まれている。しかし、女性の場合は若年層の参加者が少ないがゆえに、高齢層の頑張りを引き継ぐ若年層が男性ほどは育っていない。それゆえ、デモ参加経験の効果に限っていえば、今後はデモ参加における男女差がむしろ拡大する可能性が高いのである。

1——Holdgrün, Phoebe and Barbara Holthus. 2014. Gender and Political Participation in Post-3/11 Japan, German Institute for Japanese Studies. Tiefenbach, Tim and Phoebe Stella Holdgrün. 2015. "Happiness Through Participation in Neighborhood Associations in Japan? The Impact of Loneliness and Voluntariness," *Voluntas* 26: 69–97. Freiner, Nicole. 2013. "Mobilizing Mothers: The Fukushima Daiichi Nuclear Catastrophe and Environmental Activism in Japan," *ASIANetwork Exchange* 21(1): 27-41. Slater, David H., Rika Morioka and Haruka Danzuka. 2014. "Micro-Politics of Radiation," *Critical Asian Studies* 46(3): 485-508. Sternsdorff-Cisterna, Nicolas. 2019. *Food Safety after Fukushima: Scientific Citizenship and the Politics of Risk.* University of Hawai'i Press. Novikova, Natalia. 2016. "A Japanese Local Community in the Aftermath of the Nuclear Accident: Exploring Mothers' Perspectives and Mechanisms for Dealing with Low-dose Radiation Exposure," *Journal of International and Advanced Japanese Studies* 8: 55–76.

2——Corrigall-Brown, Catherine. 2012, *Patterns of Protest: Trajectories of Participation in Social Movements.* Stanford University Press.

3——Dalton, Russell J. 2008. *Citizen Politics*, 5th edition. CQ Press. Dalton, Russell J., Alix van Sickle and Steven Weldon. 2010. "The Individual-Institutional Nexus of Protest Behaviour." *British Journal of Political Science* 40(1): 51-73.

4——Kimura, Aya H., & Yohei Katano. 2014. "Farming after the Fukushima Accident: A Feminist Political Ecology Analysis of Organic Agriculture," *Journal of Rural Studies* 34: 108-116. Kimura, Aya H. 2016. "Risk Communication under Post-feminism: Analysis of Risk Communication Programmes after the Fukushima Nuclear Accident," *Science, Technology and Society* 21(1): 24-41.

5——Holdgrün, Phoebe and Barbara Holthns. 2015. Babysleps Toward Advocacy: "Mothers Against Radiation" Mark Mullins and Koichi Nakano (eds.) *Disasters and Social Crisis in Contemporary Japan: Political, Religious, and Sociocultural Responses*. Palgrave Macmillan.

6——片岡栄美「教育達成過程における家族の教育戦略——文化資本効果と学校外教育投資効果のジェンダー差を中心に」『教育学研究』六八巻三号、二〇〇一年。

7——Pfanzelt, Hannah and Dennis Spies. 2019. "The Gender Gap in Youth Political Participation: Evidence from Germany," *Political Research Quarterly* 72(1): 34-48.

8——Gordon, Have Rachel. 2008. "Gendered Paths to Teenage Political Participation: Parental Power, Civic Mobility, and Youth

Activism," *Gender & Society* 22(1): 31-55.

9——Kuumba, Bahati M. 2001. *Gender and Social Movements*, AltaMira Press. Cable, Sherry. 1992. "Women's Social Movement Involvement: The Role of Structural Availability in Recruitment and Participation Processes," *The Sociological Quarterly* 33(1): 35-50.

10——Robnett 1996.

11——Iezzi, Domenica Fioredistella and Deriu, Fiorenza. 2014. "Women Active Citizenship and Wellbeing: the Italian Case," *Quality & Quantity* 48(2): 845–862.

12——LeBlanc, Robin M. 1999. *Bicycle Citizens: The Political World of the Japanese Housewife*. University of California Press. Terriquez, Veronica. 2011. "Schools for Democracy: Labor Union Participation and Latino Immigrant Parents' School-Based Civic Engagement," *American Sociological Review* 76(4): 581–601. Zemlinskaya, Yulia. 2010. "Social Movements through the Gender Lens," *Sociology Compass* 4(8): 628–641. Iezzi and Deriu, 2013, op.cit.

13——Tindall, D. B., Davies Scott and Céline Mauboulès. 2003. "Activism and Conservation Behavior in an Environmental Movement: The Contradictory Effects of Gender," *Society and Natural Resources* 16(10): 909–932.

14——Maeda, Yukio. 2005. "External Constraints on Female Political Participation," *Japanese Journal of Political Science* 6: 345-373.

15——Cable, op.cit. Kuumba, op.cit. McAdam, Doug. 1992. "Gender as a Mediator of the Activist Experience: The Case of Freedom Summer," *American Journal of Sociology* 97(5): 1211-1240. Thorne, Barrie. 1975. "Women in the Draft Resistance Movement: A Case Study of Sex Roles and Social Movements," *Sex Roles* 1(2): 179-195.

第6章

動員の限界

何が運動の広がりを阻むのか

佐藤圭一・永吉希久子

1 「変換効率」の悪さ？――意識と行動のギャップへの着目

三・一一後、反原発・反安保法制運動への参加者は、従来は参加することのなかった層にも広がった。しかしそれでも、日本全体でこれらの運動に参加した人はごく一部である。ヨーロッパにおける緊縮財政反対デモ、韓国のろうそくデモ、香港の民主化運動などと比べると、規模においてかなり見劣りすることは否定できない。

他方で、三・一一後の世論は反原発が多数派であった（第1章）。また、安保法制についても、各種世論調査では不支持が支持を上回っていた。[1] 二〇一七年に行った私たちの調査でも、反原発・反安保法制運動の目標は、少なくない人に共有されていた。原発再稼働では反対（四〇％）が賛成（二三％）を圧倒しており、安保法制でも賛否が拮抗している（反対二七％、賛成三〇％）。

このように、多くの反原発・反安保法制賛同者がいたにもかかわらず、運動に参加したのはごく一部の人だった。

そのことは、別の国際比較調査からもうかがえる。「もしも正当性がなかったり、有害だと思われる法律が検討されていた場合、何らかの行動を起こせるか」という質問に対して、日本では二〇％しか「行動を起こす」と答えなかった（ＩＳＳＰ二〇一四）。これは調査に参加した三四カ国中、三〇位である。だが、抗議行動自体が違法だと思われているわけではない。七八％の人が

「デモをすることは許される」と答えており、これは中位の一六位である（ＩＳＳＰ二〇一六）。

原発事故後、多くの人々が原発に反対する意思を持ち続けた。数基の原発が再稼働され、原発回帰への既成事実が作られようとしても、その熱量は失われなかった。さらに、抗議デモを起こす権利に否定的なわけでもない。にもかかわらず、そのエネルギーを行動に変換する効率は非常に低くなってしまう。

この奇妙な状況はなぜ生まれるのか。ここまで本書では、運動への参加者に注目してその特徴を探ってきたが、この章では不参加者に着目する。それにより、前章までとは逆の問い――反原発／反安保法制運動がそれほど広がらなかったのはなぜか――を立て、これに答えることが以下の課題となる。

2　なぜ参加しないのか――四つの仮説

①社会的属性による説明の限界

まず、反原発運動を例にとって、人々が社会運動に参加するまでの経路を整理してみよう。[2] 第一に、運動に参加する大前提として、通常は原発に反対していることが条件となる（目標の共有）。けれども、反原発派であると同時に反原発運動は支持しない場合もあるため、運動に好意を持つことが第二の条件となる。第三に、運動を支持してもデモ等の情報がなければ参加のしようがな

図6－1　反原発運動への参加図式

い。第四に、情報を得て参加する気になったとしても、時間・費用といった点で難しければ実際の参加には至らない。

データを図式に当てはめてみると、図6－1のような結果となる。[3]原発反対派[4]の約六割が反原発運動を支持し、[5]さらに支持者の三割弱は実際に補助的参加（寄付や署名）をしていた。一方、積極的参加（デモや集会、陳情、運動に関するネットへの書き込みやツイート）は三％にとどまっており、積極的参加に至るまでのハードルは格段に高いことがうかがえる。このように、意識と行動のギャップは非常に大きいのである。

こうしたギャップは何によって生まれるのだろうか。運動との距離によって、次の四つのタイプに分けてみよう。一つ目が原発賛成派で、これを運動にとっての「敵対者」と呼んでおく。二つ目が反原発派であるが、運動については支持しない人で、これを「潜在的支持者」とする。さらに反原発派のうち、運動は支持するが運動には参加しない人を「支持者」、何らかの形で運動に参加している人を「参加者」とする。

これら四つのタイプの特徴を考える際に社会学的に注目すべきは、社会的属性との関係である。ところが、反原発やデモ参加と関わりがありそうな要素のうち、もっとも重要な属性である学歴をはじめ、世帯収入、

表6－1　反原発運動との関わりの属性による違い

	年代			性別	職業			
	20-30代	40-50代	60-70代	男性	自営・経営	正規雇用	非正規雇用	無職
参加者	12.8	45.1	42.2	52.7	14.7	31.3	20.0	33.7
支持者	20.0	51.7	28.3	52.4	10.9	36.7	20.9	30.8
潜在的支持者	31.4	53.3	15.3	46.9	9.4	42.9	20.9	25.5
（敵対者）	34.7	51.1	14.2	55.5	8.6	48.7	18.7	22.6

注：職業はほかに「学生」カテゴリが存在する。数値は割合（％）を表す。

婚姻状態、一五歳以下の子どもの有無いずれも、全体として、どのタイプとも関係がなかった。つまり、生活に余裕があることが参加の条件ではないし、生活に余裕がないことに不満を持つ人ばかりが参加していたわけでもない。また、子どもがいるために危機感を募らせた人が特別多く参加したわけではないし、子育てで時間がなくて参加できないという人が多かったわけでもない。

それに対して年齢、性別、雇用形態とは関係が見てとれた。それを示したのが表6－1である。年代による違いがもっとも大きく、若年層と高年層では対照的な結果となった。すなわち、反原発運動への態度および参加に関して、若年層は冷ややかであるのに対し、高年層は積極的だった。ジェンダーでは二極化する傾向があり、女性は潜在的支持者が多い一方で、男性は敵対者か支持者・参加者に分かれる（第5章も参照）。また反原発運動に関わる度合いが強まるにつれて、正規雇用者の割合が低くなる。

これらの特徴は、反原発の支持の強さとも共通している（第1章参照）。つまり、反原発の支持への強弱に対する説明としては妥当なものだが、反原発を支持しても運動に参加しないことへの説明にはならない。また、これらの属性との関連は全体的に弱く、こうした属性のみで、運動への参加が進まない理由を説明することはできない。約六割の人が反原発運動を支持していても、それが参加には結びつかない原因とは何なのか。その理由を探るべく、以下では個々人の意識に注目して分析を進めていく。

②運動が広がらない原因に関する四つの仮説

反原発運動も含めて、社会運動に関する研究を総覧すると、運動の広がりを妨げる要因について、以下の四つの仮説を立てることができる。

第一は、左派嫌い説と呼べるものである。これによると、社会運動には「左派」というイメージがつきまとい、それが人々を運動から遠ざけてきた。坂本らの調査によれば、自身を右派ととらえる人ほど市民団体に参加しない[6]。NPO・市民活動団体は「左派的」だというイメージと、「自分は左派ではない」という自己認知が衝突するからだ。この仮説の通りであるなら、デモをはじめとする社会運動も「左派」的だと認識されているので、左派以外は潜在的支持者にとどまり、支持者にも参加者にもならない。なお、私たちの調査に答えた人の中で左派を自認する比率は一五%にとどまっており、仮説の予想通りなら、支持の裾野がそもそも狭いことになる。

第二は運動嫌い説であり、抗議行動それ自体への忌避感が、運動の広がりを妨げる。左派嫌い仮説と部分的に重なるが、それとは異なる点もある。すなわち、デモや社会運動を身近なものと感じていないため、これらは何か異常なものととらえられ、「目標には共感するが、過激な手段は好まない」という反応を引き起こす。この仮説の場合、デモへの忌避感が反原発派を潜在的支持者にとどめておくことになるので、左派嫌い説と同様の結果となる。

ただし、左派嫌い説が政治的立場との関係をみるのに対して、運動嫌い説は個人の経験に着目するという違いがある。しかも、そこには歴史的な視点も含まれる。日本でも七〇年代中盤までは活発な抗議活動が行われていたが、その後は急速に衰退していったことで、世代間の断絶が生み出されている。[7]たとえば山本英弘の調査によれば、社会運動が身近でない若い世代において、「デモを怖い」と感じる割合が高くなり、デモや運動を否定的にみる見方が広がっているという。[8]これは、デモ参加のハードルを引き上げることにつながる。デモの経験がないために、デモをしようという発想そのものが持てなくなるからだ。[9]

第三はお任せ説である。人々がデモや運動に参加しないのは、政治を人任せにするメンタリティに根差している可能性もある。自ら政治に関わるのではなく、だれか「偉い人」、たとえば専門知識や権威を持っている人がうまくやってくれるという感覚が、参加を妨げているのかもしれない。この説の通りなら、政治を信頼し市民参加に消極的な人は、運動の支持者になったとしても、自ら参加しようとまでは思わないだろう。

第四は被災地第一主義説である。この説によれば、社会運動やデモに参加しないのは、むしろ人々の思慮深さ、被災地への配慮の結果であり、そこでは抗議活動よりも復興が優先される。東京の反原発運動は、原発のある地域への配慮に欠けており、原発による電力に依存しながら反原発をうたっているという批判が、福島をはじめとする原発事故被災地の関係者からなされてきた。[10]この説に立てば、自身が震災被害に遭ったり、福島に関係者がいる人は反原発運動に参加しないことになる。

これらの仮説に示された阻害要因は、相互に関連しあっている可能性もある。たとえば、左派嫌いだからこそ、左派と目される運動にも嫌悪感を持つといった関係である。そこで、ロジスティック回帰分析という手法によって、それぞれの要因に独自の効果があるのか検証する。[11]反原発派でも運動に好意を持つ人（支持者）と持たない人（潜在的支持者）がいるが、両者を分かつポイントとは何か、支持者と参加者を分かつのは何か、それぞれの要因を探っていこう。

3　反原発運動への参加障壁

①支持者への壁

反原発は支持するのに、反原発運動は支持できない。そのような「ねじれ」はいったいどこから来るのか。第2節に挙げた仮説ごとに結果をみていこう（積極的参加については、補助的参加の結果と非常に似ているため省略した）。全体的な状況は図6－2に示したが、相違点については以下で個別に論じていく。

図6－2　反原発運動の支持／補助的参加の規定要因

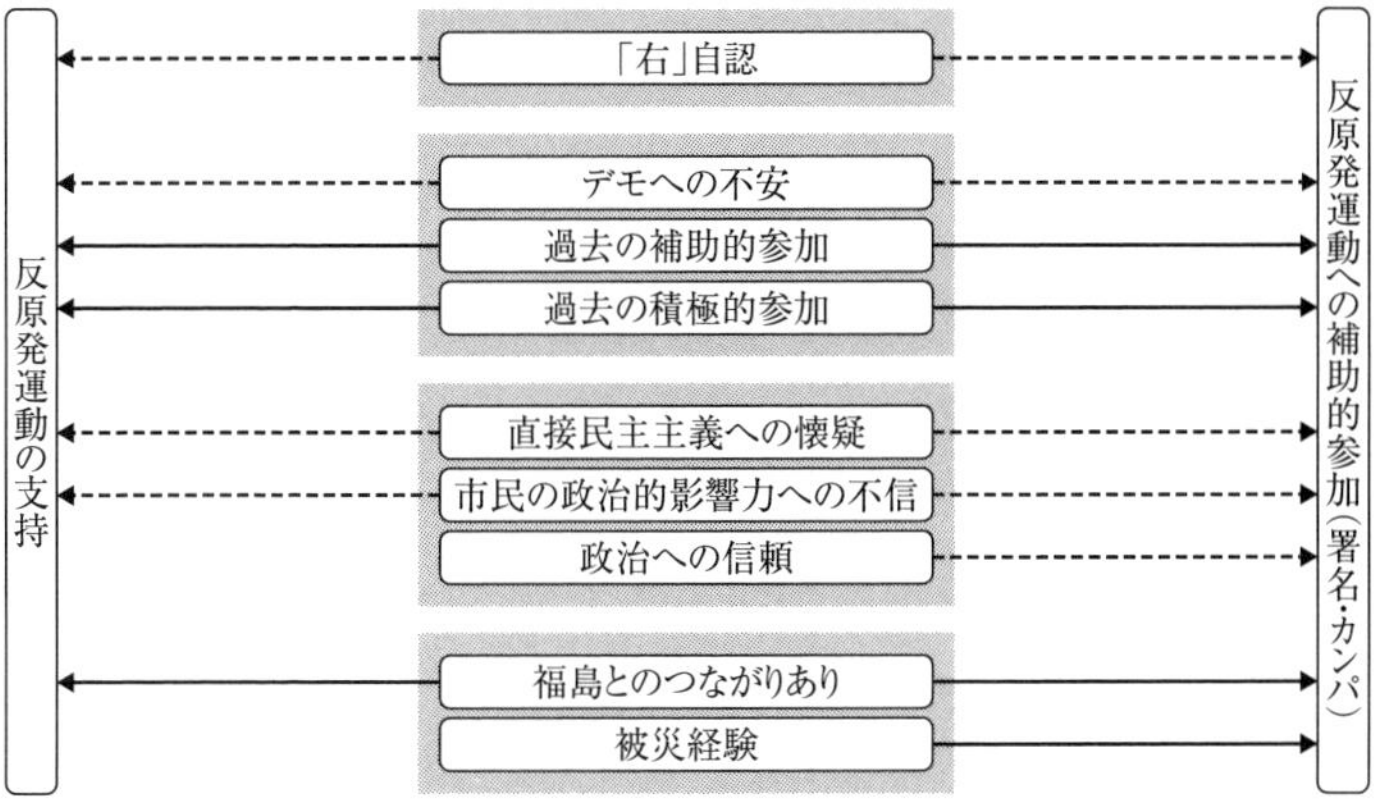

注：統計的に有意な結果のみ図示した。ただし、政治的中間派の効果は省いた。点線は負の効果を与えることを意味する。図の左側にある反原発運動の支持に向かう矢印は、全員ではなく反原発派の回答のみを分析した結果である。同様に、補助的参加に向かう矢印は、運動の支持者の回答のみを分析している。

第一に、左派嫌い説は現実をうまく言い当てていることがわかった。反原発の立場を取る人がすべて「左派」だったわけではない。反原発の立場をとる人のうち右派は約一八％、左派は約二二％で、ほとんど変わらない（残りの六割は中間派だった）。だが、左派に比べて中間派や右派は、運動に参加する確率が低い。社会運動に対して左派的イメージを持っているため、右派や中間派は共感することができない。その実例を、自分を「右」と位置付けている反原発派の人たちの自由回答からみてみよう。

左巻きの人が学生運動の延長でやっているようなデモが共感を得られるはずもない。脱原発を行うべきだが、左翼のデモのせいで却って一般市民には反感が生まれ、原発存続に寄与しているように感じる。反対のための反対は不信感しか生まないことにいい加減に気付いてほしい。日本のリベラルは子どもじみた反体制でしかなく同意するのすら恥ずかしいと思われていることになぜ気づかない？（三〇代男性）

原発は反対だが、反原発の団体は胡散臭い。（三〇代男性）

これらの声が示すのは、「左派」や運動団体への強い拒絶感である。反原発団体の背後には左派活動家がいるのではないか。左派のせいで一般市民には反感が生まれてしまっているのではないか。そのような存在と、自分自身は異なる。そうした心情を持ちながら、社会運動に参加するのは難しい。

第二に、運動嫌い説もまた現実をうまく言い当てていた。反原発派でも四三％がデモに不安を感じており、そのことが、反原発運動を肯定的に評価する確率を下げることとなる。では、どのような点で運動を嫌っているのだろうか。反原発派ではあるがデモに不安を感じるという人の声を二つ紹介したい。

反原発の気持ちはよく分かるし原発はなくしてほしいが、反原発の活動を実際にしてる人は視野が狭いというか狂信的というか、一般的に見て近寄りがたく不安を感じさせる人が多い

ので、もっと冷静な行動と意見で反原発を推し進めるべきだと思う。（三〇代女性）

反対するばかりで、代替案を提示しない無責任な運動が多いと感じる。（五〇代男性）

これらの回答では、先にみたような「左派」への強い拒絶感はない。だが、社会運動に参加する人々は、「狂信的で冷静さにかけている、代替案を提示しようともしない」という。そこからみえてくるのは、社会運動にかかわる人に対して回答者が抱く「無責任」だというイメージだろう。

ここで、対案をださないという揶揄は、すでに五五年体制下の社会党にも向けられていたことが想起される。対案を示さない（ようにみえる）存在への拒否感は、自民党体制を支持する根拠にもなってきた。反原発派の中でデモへの不安が高い人は、自民党を支持する割合が高く、選挙においては自民党に投票する傾向にあったが、その背景には「無責任さ」への拒絶感もあったと考えられる。

他方で、原発が停止しても電気がなくなりはしなかったという経験は、原発反対を主張してもそれは無責任ではないという認識を社会全体にもたらした。原発事故以前、原発反対を唱える人に対してしばしば言われたのは、「電気がとまってもいいのか。無責任なことを言うな」というものだった。その意味で、原発には反対しているものの、「無責任さ」に拒否感を持つ人々は、原発に対する社会的な認識が大きく転換する過渡期を体現する存在といえるだろう。

ここまで、「左派」や社会運動団体への否定的なイメージについてみてきたが、こうした拒否感は、自身が運動に参加することで緩和される。過去に運動に参加したことのある人々は、運動にも共感を持ちやすい。過去に補助的参加（署名・カンパ）をしたことがある人は、そうでない人よりも反原発運動を支持する確率が上がる。これは、お付き合いの参加であっても運動への抵抗感を和らげることを示しているが、換言すればそれは、実際に参加しなければ運動嫌いは解消しにくいことを意味する。

お任せ仮説については、ひとくくりにできるような一貫した効果は見いだせない。確かに、政治参加に意味を見いだせず、お任せでよいという場合、社会運動を支持する確率は低下する。他方で、政治への信頼は、反原発運動への評価には関係がない。社会運動をどう評価するかは、政治に対する信頼よりも、政治参加の影響力への信頼を反映するわけである。つまり、社会運動は政治に影響を及ぼせると思うから評価するわけで、これは政治参加が民主主義の質を上げるという、参加型民主主義の考え方を体現しているともいえる。

被災地第一主義説に関しては、福島とつながりがある方が反原発運動の支持者になりやすく、仮説とは逆の結果であった。ただし、原発事故の影響を強く受けたことが反原発運動の支持に結びつくわけではなかった。つまり、被災経験があったとしても、それが理由で支持者になるわけではない。この点についてのみ、被災地第一主義説は事実の一端をとらえているのかもしれない。

②支持者と参加者を分かつもの

では、支持者が運動に参加する際に障壁となるのは、どのようなものだろうか。まず、「左派嫌い」と「運動嫌い」は、ここでも大きな阻害要因となっていた。反原発運動の支持者であっても、中間派や右派、そしてデモに不安を感じる人は、反原発運動に参加しにくい。この二つの要素は、社会運動への支持だけでなく参加も抑制するという意味で、運動の広がりに対する最大の障壁となっている。

お任せ仮説の結果は複雑で、支持者になる要因は説明できなかったが、運動への参加については二つの点で関連があった。すなわち、政治参加が影響力を持つと考える人ほど運動に参加しやすい。その半面、政治への信頼感が高い人ほど、運動に参加しなくなる傾向があった。市民の政治的影響力を評価する人であっても、現行の政治に任せておけば大丈夫と考える場合には、運動に参加しにくくなる。

政治への信頼感が高く、反原発運動に参加しなかった人々は、反原発運動をどのようにみているのだろうか。自由回答からみていこう。

地道に運動が存続していることをマスコミなどにアピールして報道されるようにして欲しい。
（六〇代男性）

日本人は世界一の自己中心だと思っていますので、「自分だけが幸福になりたい」のでは無く、先々の事を考えての上でなら社会運動は大いに行うべきです。自分が出来ない分、出来る人を応援したいです。（五〇代女性）

日本は何も行動しない人が多いと思います。そういう人種なのだと思いますが。私も残念ながらその一人です。もっともっと声を上げて、自分の主張をする機会を増やした方がいいと思います。それを引っ張っていく方が大変なのはわかりますが、デモなどももっと頻繁に行われてもいいと思います。（三〇代女性）

これらの回答にみられるように、彼ら彼女らは社会運動に対し総じて好意的で、意義も認めている。しかし、自分がそこに積極的に関わるというより、「誰かほかの人」に取り組んでほしいと思っていることが見てとれる。

つまり、政治参加に対する肯定的な見方は、運動への支持に結びつく。だが、政治に対する信頼感が高い場合、自分があえて参加しなくても問題は解決するだろうという態度を生むことにもなるのである。以下にみるように、こうした点に自覚的な人もいた。

被災直後、被災地から都内へ就職のため移ってきました。テレビから、福島原子炉の深刻な状況が連日流れ、都内にきてからも原発の被害が広がらないか心配でした。心配はしていた一方で、忙しさにかまけて、原発反対のデモは客観視し、人任せ的に考えていました。（三〇代女性）

この女性が、他の回答者よりも自分の態度に自覚的なのは、実際に被災を経験したという切迫感によるものではないかと、筆者らには感じられた。この点については、本章の第5節で改めて触れたい。

被災地第一主義説について検証すると、被災経験があったり、福島とのつながりを持っていたりする人の方がより多く社会運動に参加しており、仮説とは逆の結果であった。震災や福島と距離のある人の方が、運動を支持しにくく、また運動に参加しにくいのである。反原発運動は、都市住民のエゴイズムに基づくものだから参加しないのだという主張は、傍観者である自分を正当化するためになされたものではないだろうか。私たちの調査結果から、そうした疑念も浮かび上がってくる。

ここまで、寄付や署名といった補助的参加との関連についてみてきたが、積極的参加（デモ・集会・陳情・ツイート）でも基本的な傾向は同じであり、やや異なるのは、過去に運動に参加したことによる効果だった。すなわち、それまで補助的参加しか経験のない人は、反原発運動に積極的に参加するわけではなかった。一方、積極的参加をしたことのある人は、反原発運動にも積極的に参加しやすいという関係があった。第2章で述べたように、実際にデモに参加する際のハードルは高い。そのハードルを乗り越えた人たちが、次なる社会運動にも、積極的に参加するようになるのである。

4　反安保法制運動への参加障壁

では、反安保法制運動においても、反原発運動と同様のことがいえるだろうか。反安保法制運動での参加経路（図6－3）[12]をみると、反原発運動と比べて、反安保法制運動に好意を持つ人が少ない。これは、安保法制に反対する比率が原発に反対する比率より低いこともあるが、反安保派においては、社会運動に好意的な人が四五％にとどまったことが大きい。反原発運動以上に、反安保法制運動を支持するまでのハードルは高いようだ。

ただし、反安保法制運動を支持する人のうち、補助的参加は二五％（反原発運動では二九％）、積極的参加は一二％（同、三％）だった。支持者の中で反安保法制運動に直接かかわりを持つ人の割合は、反原発運動よりかなり高いことになる。反原発運動と比べて反安保法制運動には、支持者の広がり具合はそう大きくないが、支持者がデモ参加に至るまでのハードルは高くないという特徴があるようだ。

図6－3　反安保法制運動への参加図式

上述のように、反安保派の中でも、反安保法制運動を支持する人は半数以下であった。さらに運動の支持者のうち実際に参加する人は四割以下だった。反原発運動との性質の違いも視野に入れつつ、前節と同様、何が支持や参加の障壁となっているのかみていこう。

デモ参加の阻害要因となっているものは、基本的には反原発運動におけるそれと、ほとんど同じである。特に左派嫌い説は強く関連しており、中間派や右派は左派に比べて、社会運動を支持する確率が大幅に低下する。そのことは、これらの人々が、反原発運動以上に反安保法制運動に対して、強い左派イメージを抱いていることを示唆している。また、政治への信頼感が高い人ほど、反安保法制運動を支持しない傾向にある。これらの結果は、日本の安全保障体制への賛否が、日本での右派・左派を分かつ中心的な争点となってきたことを反映しているのだろう。反安保法制運動はより党派色の強いものとみなされており、反安保派の中でも中間派や右派、そして政治への信頼感が高い人ほど、社会運動を支持しない傾向にあることが見てとれる。

反安保法制運動に対する好悪を分ける要因のうち、反原発運動にはなかった最大の特徴として、女性の支持が低い一方で高学歴者の支持が高

図6－4　反安保法制運動の支持／補助的参加の規定要因

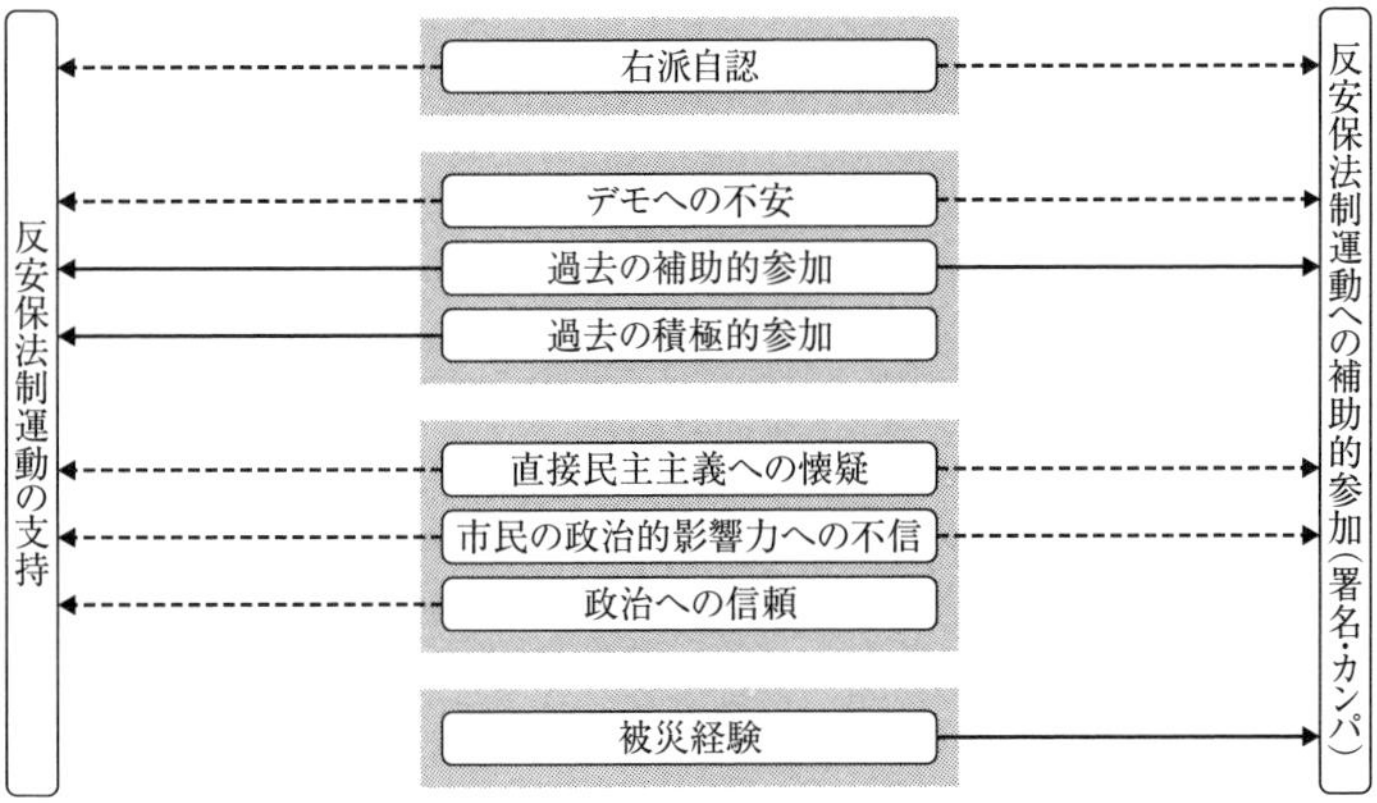

注：統計的に有意な結果のみ図示。ただし、中間派の効果は省略した。点線は、負の効果を与えることを意味する。図の左側にある反安保法制運動の支持に向かう矢印は、全員ではなく反安保派の回答のみを分析した結果である。同様に、補助的参加に向かう矢印は、運動の支持者の回答のみを分析している。

いということがある。ただし、これはデモへの評価でしばしばみられる現象であり、むしろ通常の状態とみるべきかもしれない。とすれば、むしろ反原発運動は例外で、社会運動に対する支持者が、これまでにない層にも広がったということもできる。

次に、支持者がデモに参加するに至る際の、その要因についてみてみよう（図6－4）。反原発運動と同じく中間派や右派は、左派に比べて反安保法制運動に参加していない。運動嫌いについてみると、デモに不安を感じる人は参加率が低い。お任せ主義に関連して、政治への信頼感がどう影響するかをみてみると、補助的参加との関係はみられなかったが、積極的参加については負の効果がみられた。つまり、デモの参加を抑制する要因となっている。

興味深いのは、安保法制とは本来、直接的な関係がないはずの被災経験や福島とのつながりが、社会運動への参加を促進することである。被災経験は補助的参加・積極的参加の両方に、福島とのつながりは積極的参加に効果がみられた。

これらは――効果の強さに若干の違いはあるものの――反原発運動と同じ結果であり、左派嫌い説など四つの仮説は、社会運動一般に該当すると思われる。[13]

とはいえ、反原発運動と反安保法制運動とでは、デモ参加に至るプロセスに違いもあった。反原発運動は幅広い支持を集めたものの、実際の運動参加には結びつきにくかった。一方、反安保法制運動を支持する人々のすそ野は狭かったが、運動への参加に至るまでのハードルは低かった。結果的に、反原発運動・反安保法制運動の支持者のうち、補助的参加者の比率はそれぞれ二九％と二五％で大きな差はみられないが、積極的参加者については三％と一二％で、反安保法制運動の方が高い。なぜこのような結果になったのだろうか。

左派嫌いを除いた三つの仮説で示された阻害要因についてみてみると、反原発・反安保法制という二つの運動における違いはほとんどなかった。とすれば、反安保法制運動の方が積極的参加者の参加比率が高かったのは、それぞれの運動の支持者の性質が違っていたからかもしれない。そこで、反原発運動を支持する人と、反安保法制運動を支持する人の特徴を比較してみた（表6－2）。

反原発・反安保法制運動の支持者たちは、三・一一後の運動に特徴的な部分ではなく、一般的

表6－2　反原発運動・反安保運動の支持者の比較

仮説	項目	反原発運動の支持者	反安保法制運動の支持者
左派嫌い仮説	右派の比率	16.1%	11.5%
運動嫌い仮説	デモへの不安	3.0	2.7
	過去の補助的参加	37.7%	41.0%
	過去の積極的参加	10.0%	14.3%
お任せ仮説	直接民主主義への懐疑	−0.35	−0.43
	市民の政治的影響力への不信	2.7	2.8
	政治への信頼	1.9	1.8
被災地第一主義仮説	福島とのつながりあり	34.2%	35.2%
	被災経験	4.3	4.3

注：右派、過去の積極的・消極的参加、福島とのつながりについては割合、その他については平均値を示している。

な運動参加に関わる部分で差があった。たとえば、反原発運動の支持者のうち、社会運動にかつて積極的参加したことがある人は一〇％であるのに対し、反安保法制運動の支持者では一四％だった。また、大きな差とはいえないものの、反安保法制運動の支持者は、反原発運動の支持者よりもデモを不安視せず、直接民主主義に肯定的であった。右派の割合も、反安保法制運動の支持者の方が低い。つまり、反安保運動の支持者の方が、運動参加に直接結びつきやすい特徴（運動との親和性）を備えていたことになる。

5　おわりに――「動員の限界」は何を示唆するのか

原発や安保法制に反対する態度は、少なからぬ人に共有されていた。しかし、そうした潜在的支持者のうち、反原発・反安保法制運動の支持者になるのは三分の一から半数程度でしかない。実際に運動に参加する比率はさらに低く、支持者の三割程度だった。近年の日本の状況を考えると、デモ参加に至ったのは非常に高い割合だといえる。しかし、国際的にみれば、ごく小規模のデモしか起こっていない。

なぜ、意識と行動のこうしたギャップが生じるのだろうか。この章では、原発存置に賛成か否かといった争点をめぐる支持のほか、社会運動に対する支持、さらには運動参加を促す要因について仮説を立て、それを検証する形で答えを模索してきた。その結果、左派嫌い、運動嫌い、お任せ感覚の三つが、争点を問わず、共通して障壁となっていることが浮かび上がってきた。以下、順にまとめよう。

第一に、左派と比べて中間派・右派は、社会運動に対する評価が低い。評価したとしても、運動に実際に参加することが少ない（左派嫌い説）。社会運動に対して「左派」というイメージを持っており、自身の信条と相いれないものへの違和感や、社会運動を胡散臭いものとみなす敵意が、自由回答からはうかがわれた。

第二に、デモへの不安、デモ経験の欠如は、参加に至るまでのハードルを引き上げる（運動嫌い説）。これは政治的な立場を問わず、共通してみられた。その背景には、デモなどにおける抗議行動を「過激」なものと感じ、そうした行動に違和感を抱いたということがある。また、補助的参加（署名・寄付）をしたとしても、それが直接、積極的参加（デモ・集会・陳情・ツイート）に結びついてはおらず、補助的参加のみでは、デモに参加する際の心理的な抵抗は払拭されない。実際にデモを経験して初めて、デモを普通のこととしてとらえることができるようになり、再び参加するようになる。

この結果を歴史に即して考えると、人々が運動から遠ざかったことそれ自体が、運動が起こりにくい社会を作り出すという循環を形成してきたことになる。震災後の新宿で行われた反原発デモ（二〇一一年九月一一日）で、哲学者の柄谷行人は次のような演説をした。「デモをすることによって社会を変えることはできる。なぜなら、デモをすることによって、人がデモをする社会に変わるから」。これは、私たちの結果からみても、正鵠を射ているといえるだろう。

第三に、権利や自由は大事だが、そのために自ら積極的に政治に関わりたくはないという感覚は、社会運動への参加を妨げる。ここで述べたような人々は、「ニヒリスト」という言葉で表現されることもあった（第1章参照）。けれども調査結果が示すのは、ニヒルさだけでは説明しきれない側面である。この章でみた「お任せ感覚」は、政治不信ゆえに政治参加から撤退するという態度ではなく、政治に対するそれなりの信頼にもとづいている。こうした意識は、社会運動を含む積極的な市民参加を否定しないまでも、必要なこととはみなさない。したがって、かりに運動を支持していたとしても、その運動が主張することに対して政治は応答するだろうから、自分の出る幕はないとして、何もしないまま終わるという結果を生むだろう。

これと対照的なのが、福島とのつながりや被災経験がもたらす効果であり、これが第四の知見である。福島とのつながりは、反原発運動への支持や運動参加の比率を高めた。そして被災した経験は、反原発運動だけでなく、反安保法制運動への参加を促す要因となっていた。お任せにできない切迫感が、これらの人々を運動へと駆り立てたのではなかっただろうか。

第五に、社会運動研究や震災後の反原発運動批判で言われていたもののうち、私たちの分析では妥当しないものも少なくなかった。まず、時間や金銭的な制約のために運動に参加できないという見方は当たっておらず、たとえ影響があったとしても、弱いものであった。被災地第一主義説は、被災した経験が必ずしも反原発運動への支持に結びつくものではないという点では当たっていたが、運動参加にはプラスに働いていた。また福島とのつながりの強さは、反原発運動への参加を促す要因となっていた。

ここまでの議論から、本書を通底する問い——三・一一後の社会運動は非常時ゆえの例外なのか否か——に対して何がいえるだろうか。半世紀近くに及ぶ社会運動〝冬の時代〟を経て、運動が再び活性化する兆しはみられたが、支持者の広がり具合に比して、積極的参加の数が多かったとはいえない。つまり、非常時ならではのデモの波が実現したのは確かだが、その規模が大きく膨らんだわけではない。第2節で述べたように、日本では左派層が少ない。こうした中で、中間層や右派による左派嫌いが、運動への参加を抑制したのである。政治的とはいえない人たちを運動から遠ざけた一因として、運動嫌いを挙げねばならないことは、すでにこの章で指摘した通りである。つまり、「左派嫌い」と「運動嫌い」が、社会運動への参加に限界をもたらす最大の要因だったのである。

では、非常時を脱した後の日本にあって、大規模な抗議行動が実現することは、もはやないのだろうか。必ずしもそうとは言えないが、いくつかの条件を満たす必要がある。まず、左派が少ない日本の状況からすれば、左派嫌いへの対処は難しい。

運動嫌いについては、過激なイメージを和らげるような努力を、運動の主催者側は実際にしてきた。三・一一後の運動において、秩序だったデモを意識的に組織するようにしていたのは、こうした背景があってのことでもある。それでも、二〇一七年の調査時点において、運動嫌いはかなり広く共有されていた。これを払拭して、潜在的支持者を支持者に、支持者を参加者にするにはどうすればいいのか。一つには、より「怖くない」「楽しい」デモを組織すること、対案となる政策を提示することが考えられる。しかし、反原発などの目標は共有するものの、社会運動から距離をおく大多数の人々の心理的抵抗感を和らげるために、運動はどこまで「フツー」にならねばならないのだろうか。

三・一一後のデモは、日本の民主主義に対して、正の遺産を作り出した。自発的に参加したのであれ、人から誘われたのであれ、この間に社会運動に参加した人は、何かあれば行動に移すフットワークの軽さを身につけてきたことを、本書は示してきた。周囲の人を誘って気軽にデモに行くことで、こうした遺産は継承されていく。そうであるとして、デモに実際に参加した人たちの意識は、この間の経験を経てどのように変わったのだろうか。次章で詳しくみていきたい。

1――たとえば、「読売新聞」では安保関連法の成立を「評価しない」人が五八％、「評価する」人は三一％であった

(二〇一五年九月二一日朝刊)。「朝日新聞」でも「安保関連法」に「賛成」は三〇%、反対が五一%となっている(二〇一五年九月二一日朝刊)。

2——以下に記述する図式は次の議論を参考にしている。James G. Ennis and Richard Schreuer. 1987. "Mobilizing Weak Support for Social Movements: The Role of Grievance, Efficacy, and Cost," *Social Forces* 66 (2): 390-409. Bert Klandermans and Dirk Oegema. 1987. "Potentials, Networks, Motivations, and Barriers: Steps Towards Participation in Social Movements," *American Sociological Review* 52(4): 519-531. Dirk Oegema and Bert Klandermans. 1994. "Why Social Movement Sympathizers Don't Participate: Erosion and Nonconversion of Support," *American Sociological Review* 59(5): 703-722.

3——このほか、原発には賛成するが反原発運動には好意を持つ人、反原発運動には好意を持たないが、運動には参加する人も少数存在する。これらのケースは、図6-1に含めていない。第4節でみる反安保法制運動の図式でも同様である。

4——以下では、「原発再稼働に反対」または「即時廃炉に賛成」の人を「原発に反対」としている。

5——「反原発運動への好感度」を〇(嫌い)から一〇(好き)までの一一段階で尋ねたうち、六以上の回答。

6——坂本治也・秦正樹・梶原晶「NPO・市民活動団体への参加はなぜ増えないのか——『政治性忌避』仮説の検証」『ノモス』四四号、二〇一九年。

7——Makoto Nishikido. 2012. "The Dynamics of Protest Activities in Japan: Analysis Using Protest Event Data," 『人間環境論集』一二巻二号。

8——山本英弘「社会運動は怖いのか?——社会運動に対する態度を捉えるための試論」『山形大学紀要(社会科学)』四七巻一号、二〇一六年。

9——Joris Verhulst and Stefaan Walgrave. 2009. "The First Time is the Hardest? A Cross-National and Cross-Issue Comparison of First-Time Protest Participants," *Political Behavior* 31(3): 455-484.

10——開沼博『フクシマの正義——「日本の変わらなさ」との闘い』幻冬舎、二〇一二年。山本薫子「富岡町から避難して——町民が口にした脱原発運動への違和感」『週刊金曜日』二〇巻二八号、二〇一二年。

11——なお実際の分析では、仮説に関連する項目のほか、年齢、性別、学歴、雇用形態、世帯収入、婚姻状態、一五歳以下の子どもの有無、権威主義的態度、団体参加、反原発・反安保以外の運動参加、目標の共有度を統制している。

12——運動の理念を共有していないが運動に参加している人や、運動を支持していないが運動に参加している人の割合は、反安保法制運動では全サンプルの六％程度に及んでいた。ただし、これが支持なしに参加したことを指すのか、運動に参加した後に支持しなくなったからなのかは明らかでない。

13——このことは統計的にも確認される。左派嫌い、運動嫌い、お任せ感覚に関わる変数を投入した場合の反原発運動、反安保法制運動への参加図式を説明するモデルの説明力はほぼ同じであった。

第7章

三・一一後の社会運動は参加者をどう変えたか

――大畑裕嗣

1　はじめに

これまでの章で、三・一一後の反原発運動と反安保法制運動に、誰がなぜ、どのように参加したかをみてきた。参加者（と非参加者）の分析を通じて、日本社会が変化するなかで、これらの運動が担った意味の一端を明らかにしようとしたのである。

反原発運動と反安保法制運動（さらにはその後の「アベ政治」に抗議する一連の運動）は、二〇二〇年現在も続いている。ただ、前者における集会やデモの参加人数のピークは二〇一二年七月、後者のそれは二〇一五年九月で、その後はそれぞれ規模が縮小していき、収束に向かっているようにもみえる。運動の最盛期には「デモのある社会」が広く語られるようになったが、それも次第に薄れ、東日本大震災前の「平穏な日常」が回帰してきているようにも感じられる。三・一一後の社会運動は、いずれ、「そういうこともあった」とされ、次第に忘れられていく一過性の高揚に過ぎなかったのだろうか。

しかし、その後に続くような変化の兆しもみられる。反原発運動では、首都圏反原発連合のような横断的連絡機構を支えたさまざまな小グループが、反安保法制運動ではメディアにも注目された「ＳＥＡＬＤｓ」や「ママの会」「学者の会」といった多様な団体が生まれ、抗議活動を繰り広げた。これらの運動に参加した人々のあいだに、新たな人間関係やつながりが生まれてきたのではないか。
さらに、運動に参加した人々（とりわけ、それまでそうした経験を持たなかった人）の、政治や社会、社会運動に対する考え方を変えていったのではないか。三・一一後の社会運動に参加した人たちは、「運動に参加することで自分は変わったのか、変わったとしたらどう変わったのか」を自らに問いかけるとともに、「自分たちの参加は（日本における）社会運動のあり方を変えたのか、変えたとしたらどう変えたのか」との問いを抱いたのではないか。

社会学では、個人が特定の集団や文化と接触することを通じて政治的な意見や態度を身につけていく過程を「政治的社会化」と呼ぶ。しかし、「どのような人が社会運動に参加するのか」、「運動はどの程度、政治のあり方を変えるのか」という問いに比して、「社会運動は、その参加者に対してどのような心理的効果を持つのか」という問いは、それほど研究されてこなかった[1]。

そこでこの章では、「運動への参加は、人びとをどう変えたか」という問いを中心的に扱う。そのうえで、運動参加による人々の変化が、「運動に参加して思ったこと、感じたこと」とどう結びついているかをみてみたい。

三・一一後の運動に参加した人々の年代、デモの参加経験、政治的立場などは多様である。それらの違いによって、参加したことによる変化のあり方、運動に対する評価の内容に違いは生まれるだろうか。この点についても分析を加えてみたい。

日本の社会運動は、過去半世紀近くにわたって全共闘世代によって支えられてきたといわれてきた。これは、一九七〇年前後の運動経験が、その後にわたり影響を及ぼし続けた典型例である。三・一一後の社会運動も同様に、これからの日本の社会運動の潜在的な担い手を生み出した可能性がある。そうであるとして、どのような人が今後も社会運動にかかわり続けるようになるのだろうか。年代、政治的立場、これまでのデモ参加経験の有無などによって、今後の社会運動を支える人の特徴を見いだせるかもしれない。以下は、そのような可能性をみすえての分析である。

2　デモ参加によって人々はけっこう変わる

①何が変わるのか

東日本大震災以後、反原発デモと反安保法制デモのいずれかに一回でも参加したことがある一四一二人について、参加による変化の度合いを図7－1に示した。「政治や社会についての考え方が変わった」から、「日本も捨てたものではないと思った」までの一〇項目の回答をみると、二割から過半数の人々が、ある程度以上の変化があったと答えている。もっとも少ない「それまでの知り合いとのあいだに距離が生じた」でも、二割の人が変化があったと答えている。デモに参加したことで、人々の考え方や行動はいろいろな面で変わったことがわかる。

ではどう変わったのか。ここでは、少々矛盾するようにみえる二つの項目をみていこう。すなわち、もっとも多い「前よりもデモや集会を評価するようになった」が六二％にのぼる一方、

図7－1　デモに参加したことで自分にあったと思う変化

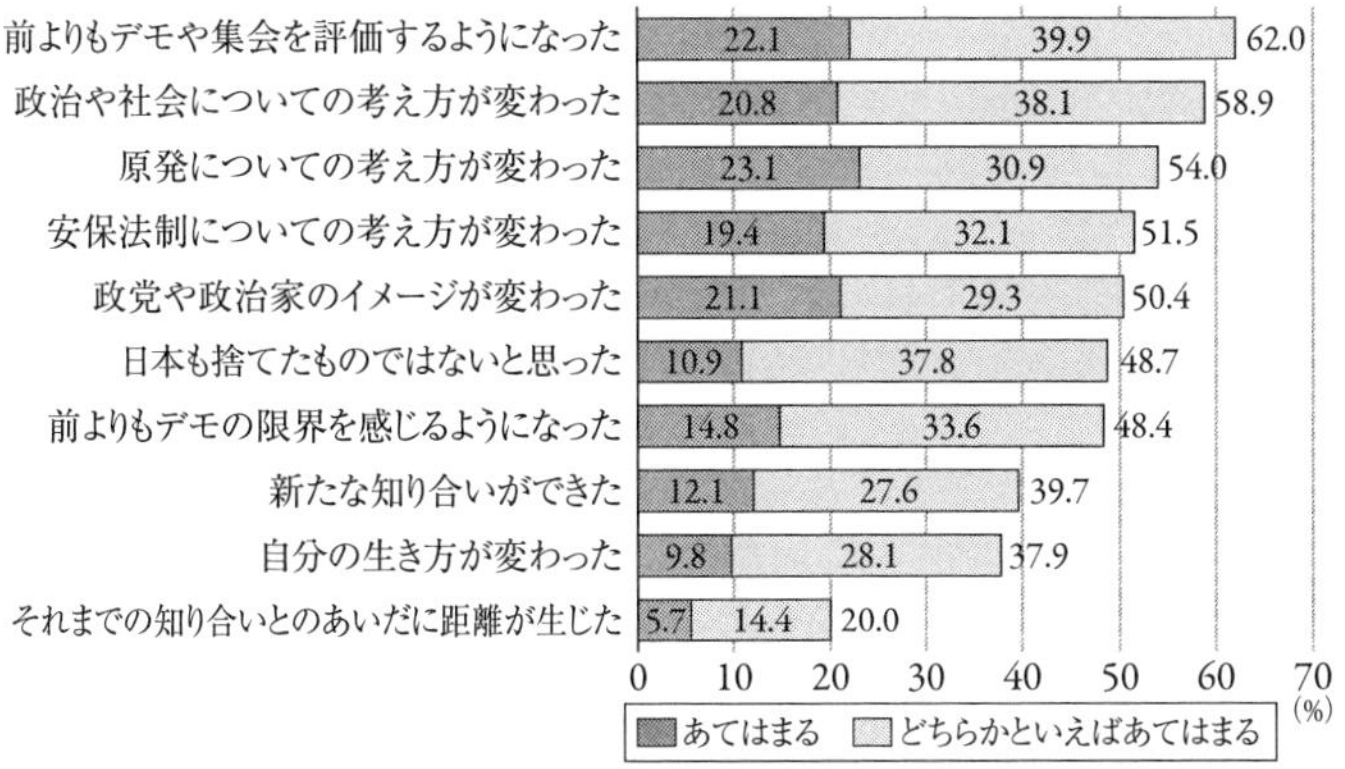

「前よりもデモの限界を感じるようになった」人も四八%いた。二つの項目の答えの重なり方をみると、全体で三三%の人が、デモを評価しつつ限界を感じているわけだが、それは以下の男性のような思いに体現されている。

これまでの意識を変えたのは大きいのではないかと思います。それでも政治に反映するのは厳しいが、その力があるのは素晴らしいと思います。（四〇代男性）

彼は、「これだけ大きな行動はないと思い、興味本意で参加」した結果、政治は簡単には変わらないという現実を突きつけられる。しかし他方で、多くの人が声を上げてもよいと思うようになったこと、つまり結果とは別にデモそれ自体に意義を見いだしている。

デモ参加によって人々の意識がどう変化したのか、さらにみていくと、政治や社会、社会運動についての考え方の変化の方が、自分の生き方や人間関係の変化よりも大きい。「政治や社会についての考え方が変わった」人は五九％で、「デモや集会を評価」に次いで多い。一方、「自分の生き方が変わった」人は三八％、「新たな知り合いができた」人は四〇％である。デモに行くことは、人々の生き方や人間関係を直接的に変えるよりも、まず政治や社会、社会運動（デモ）に対する考え方を変える傾向があるといえよう。とはいえ、生き方や人間関係の変化も無視できない割合で示されている。

次のような参加者の声は、デモ参加によって生じる変化のひとつの典型をはっきりと示している。

震災以後の世界、自分の立ち位置が明確になった。シールズのような学生が出てきたのはものすごく影響を受けた。自分は子育て中なので声をあげることもなく見過ごすことは出来ないな〜という感じでデモなどに参加した。震災前は偽善ややってもムダな感じがしたり、団体行動が嫌いな自分の性格上、イラク戦争デモなども悩んだ末に行かなかったりした。今は選挙前に演説に行ったりよい候補者ならば家族にその情報を積極的に話したりはするようになった。（三〇代女性）

書き出しの一文が意味しているのは、震災以降の意識の変化が、行動に踏み切れない自分の背中を押し、デモに参加したことで自分の「立ち位置」もはっきりつかめるようになったということだろう。「社会運動なんて偽善ではないのか」「やってもムダではないのか」「団体行動は性に合わない」――その手のためらいや言い訳を乗り越え、デモに「参加」したことによって、自らの立ち位置も明確になり、人々は「変わった」のである。

図7－2　年代による違い

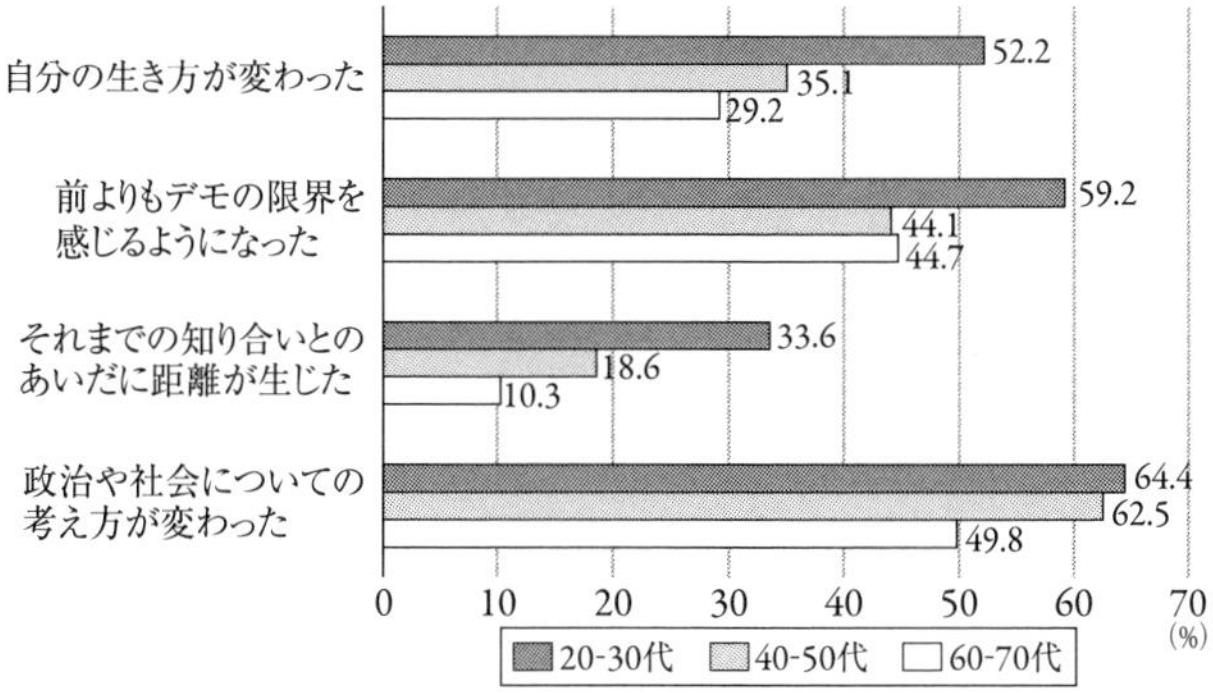

注：数値は「あてはまる」「どちらかといえばあてはまる」を足した割合。

②若者への影響力――年代と変化パターン

三・一一後の社会運動には、さまざまな年代の人々が参加したが、運動に参加することを通じて自分がどう変化したかは、年代によって違いがあるのだろうか。どう変化したかと年代との関連が特に明確だった四つの項目を図7－2に示した。

「自分の生き方が変わった」と回答した人の割合は、中年層や高年層よりも若年層で高い。中高年層の多くは、「デモ」に直接参加したことはなくても、見聞したことぐらいはあっただろう。それに対して若年層は、デモ参加を「新鮮な出会い」として経験することで、大きな衝撃を受けたのではないか。若年層の政治的な態度は、年長世代に比べて経験に裏打ちされた部分が少ないだけに、衝撃的な「出会い」によって、より変わりやすいのではないか。それだけでなく、若年層は、自分とは何か、どのような人間であるべきかを探求する時期でもある。そのため、政治的な影響を受けやすくなっており、そのことが、「生き方が変わった」という自己認知に結びついた側面もあるだろう。[2]

第3章で、若者の間では政治離れが見てとれると指摘したが、そのことからすると、若年層の方が「生き方が変わった」とする割合が高いというのは、意外な結果である。若者に対しては、政治離れが進んでいるとか、右傾化しているといった批判がなされ、政治が劣化する元凶とみなされてきた。他方で、社会問題に関心を持てば、「意識高い系」と揶揄されてしまう。その結果、両者から距離を取り、シニカルな態度をとることで、若者は自らを防衛してきた。第3章で示したように、興味本位でデモに参加した若者の割合は他の世代よりも高かったが、そのような参加理由は本人にとって、先に示した若者への批判に対する〝逃げ道〟だったのではないか。そのことを踏まえると、「自分の生き方が変わった」という回答は、自らの経験を素直に総括しているようにみえる。

前述のように、これまで日本の市民運動は、全共闘世代のがんばりによって支えられてきたところが大きいといわれてきた。これは、社会運動に参加した人の政治的信念が、運動が収束した後も、基本的には長期にわたって維持されているという研究結果とも符合する。[3] 三・一一後に社会運動に参加した人々が示した「生き方の変化」も、長期にわたって維持され、今後の社会運動のあり方に影響を与えていくかもしれない。

さらに、デモに参加することを通じての自らの生き方の変化は、新たな人間関係の獲得（「新たな知り合いができた」）を介して、それまでの社会運動のイメージ転換へとつながっていく。

東日本大震災以前の社会運動は怖いイメージもあったが、脱原発や反安保の運動に参加しているのは本当に全く普通の人も多い。（二〇代女性）

このようなイメージの転換の語りは、社会運動を「怖い」と感じていた自らの生き方の変化と無関係ではないだろう。

もっとも、若年層の場合、より年長の人々と比べると、デモへの参加によって「自分の生き方」が変わりやすい半面、「デモの限界」を感じた人の割合も高くなっている。

デモなどをやっても政治家は耳を貸さないと思った。国民の声は届かないのだと思った。（三〇代女性）

一般の人々にとって、デモや運動に対して「怖い」「敷居の高い」ものといったイメージを感じているのではないか。その一方で今行われているデモや運動にも限界を感じている。
（二〇代男性）

前者の女性のような新規層は、今まで経験したことがない「デモの効果」に最初は期待したのだろう。しかし、原発が再稼働し、安保法制が成立するなど、自らの期待が裏切られ失望したがゆえに、「デモの限界」を切実に感じたのではないだろうか。後者の男性の場合、三・一一後の社会運動にも「怖い」イメージはまだ残っていると考え、そのことを「デモの限界」と結びつけようとしているようである。[4] この男性は、続けて「デモを行なう人々」に対して「もっと多くの人に良いイメージを持ってもらい、共感し、参加してもらえるようなアプローチ」を求めている。

デモに参加したことで、「それまでの知り合いとのあいだに距離が生じた」と回答した人の数は、全体的にはそう多くない。しかし若年層では、その割合は三〇％以上で、年長世代に比べて高くなっている。このようにデモに参加することで、「それまでの知り合いとのあいだに距離」が生じることは、同時に「新たな知り合い」ができることでもある。そのことが、「自分の生き方」が変わる契機ともなっているかもしれない。

やはり、同じ意識を持った方とお話しすることにより、共感や今後どうすればよいか共に考えられる同志ができて嬉しい。（三〇代男性）

この男性は、社会運動に参加したことで、「それまでの知り合いとの距離が生じた」、「新たな知り合いができた」のいずれも当てはまると答えている。それだけでなく、新たに「同志」を得たことで、「今後どうすればよいか」考えるようになったことが示唆されており、人間関係の変化と、自らの生き方の変化とが結びついている。このような変化の表明というのも、若年層の参加者にみられる特徴のひとつといえよう。

若年層において顕著にみられたのが、「自分の生き方」「デモの限界の認知」「知り合いとの距離」の変化であった。それに対して、「政治や社会についての考え方」の変化の割合は、若年層でも中年層でも、同程度に高くなっている。

自分も含めて、考えて行動する人が増えたと思うし、この流れを風化させてはならないと思っている。(二〇代男性)

放射能汚染下の社会でサルトル的なアンガージュマンを当てはめて考えるのはいかがなものか。この汚染を直視し、汚染地帯から逃走していった無数のノマディズムが見えざる地殻変動を起こしている。(三〇代男性)

デモへの参加は、自己を形成しつつある若年層から、社会の中堅に当たる中年層まで幅広い年代の、「政治や社会についての考え方」を変えたのである。参加者たちは、そうした変化を、デモの現場を経験することを通じて感じとった。先に挙げた、二〇代男性と三〇代男性の声は、そのことを示している。

3　デモ参加経験、デモでの役割による変化

①ベテランの進化

三・一一後の社会運動には、それまで運動に参加しなかった人々が多数参加し、新規層によって運動の盛り上がりがもたらされたと、しばしばいわれる。確かにその指摘は当たっているところがある。ただし、第2章で述べたように、今回の調査ではベテランが六割であるのに対し新規層は四割と、前者が過半数を占めている。ベテランと新規層では、運動に参加したことによる変化の仕方に違いはあるのだろうか。図7－3には、デモ参加経験との関連がとくに明確であった三つの項目のみを示している。

単純に考えると、東日本大震災後にデモにはじめて参加した新規層の方が、デモ経験のあるベテランよりも、デモをより新鮮に感じ、それゆえ、すべての項目について変化しやすいように思われる。しかし、実はそうではない。図7－3のように、「政治や社会についての考え方」の変

化の割合は新規層の方が大きい。それに対して、「新たな知り合いができた」、「それまでの知り合いとのあいだに距離が生じた」のいずれも、ベテランの方がその割合が高いのである。なぜこのような結果が生じたのだろうか。

図7－3　デモ参加経験による違い

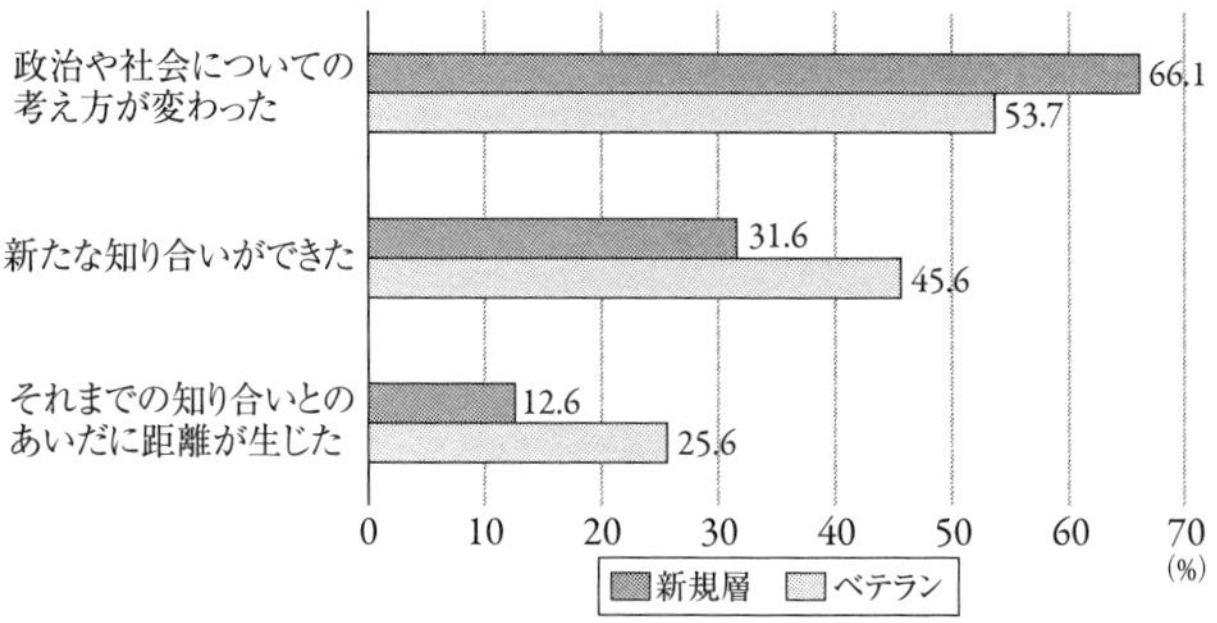

注：数値は「あてはまる」「どちらかといえばあてはまる」を足した割合。

考えられる理由のひとつは、運動との関わりの強さによる。分析結果は省略するが、新規層の方が、一回限りの消極的な参加となることが多い。新規層にとって、初めてのデモ体験は、大きな変化をもたらすものではなかったのである。それに対してベテランは、積極的に何度も参加する傾向にある。そのようにして、運動との接点が増えるにしたがって、新たな知己を得る機会も増していく。それゆえ、ベテランの方が新規層よりも、「新たな知り合い」ができたのではないだろうか。

では、ベテランほど、「それまでの知り合いと距離が生じた」のはなぜだろうか。これについては、積極的な参加による人づき合いの変化が、多少なりとも影響している。しかしそれは、新規層とベテランとの違いの一部を説明するにすぎない。

図7－4　左右イデオロギーによる運動経験の違い

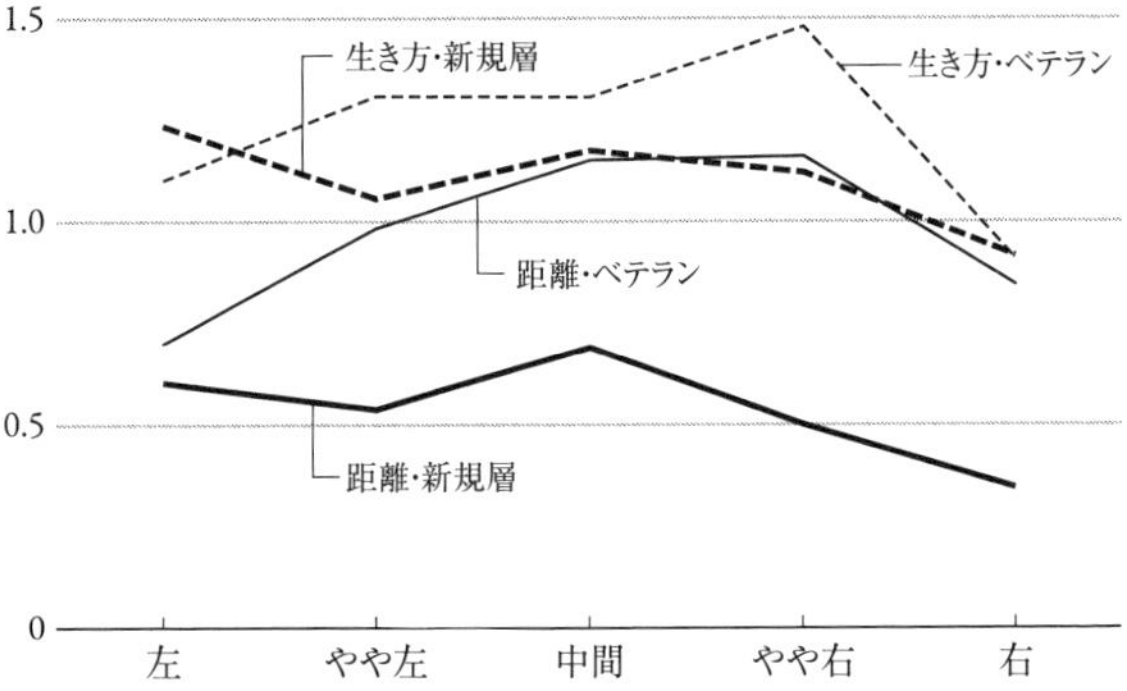

注：数値は、それぞれの度合いを3点満点で表した時の平均。

では何が両者を分かつのか。結論をいってしまえば、運動を経験することによって、それまで慣れ親しんだ世界がゆらぐ度合いの違いである。図7－4は、政治的立場による変化の違いを、新規層とベテラン、それぞれについてグラフにしたものである。折れ線グラフのうち、「距離」は、今までの知り合いとの間に距離が生じたかどうか、「生き方」は、自分の生き方が変わったかどうかを、政治的な立場ごとに示している。

この中で重要なのは、左右両極ではなく両者のあいだに位置するベテランである。「やや左」から「やや右」に位置する人の場合、新規層よりもベテランの方が生き方が変わったと感じている。このようなベテランの多くは、運動から離れた生活を送ってきただけに、大規模デモがむしろ新鮮に映り、生き方を考え直す機会となり、それまでの生活で築いてきた人間関係を、距離を置いてみるようになったのではないか。以下に示す、社会運動に対する肯定的な評価は、そうした感覚を典型的に表している。周囲の人と距離が生じたのも、そうした変化の反映だろう。

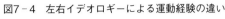

社会運動を聞いたり見たりして、政治家は国会で話し合って欲しい。（三〇代男性）

国民がもう少し他の国みたく社会運動をして国を良くしなくてはと凄く感じるようになった。（五〇代男性）

社会運動で国を動かせるような流れにしなければならない。（六〇代女性）

それに対して、確固たる政治的な信念を持っていて、左ないし右と答えるような人の場合、新規層とベテランのあいだで、生き方の変化に違いはなかった。ただ左派のベテランにとって運動への参加は、従来の活動の延長上と認識されているためか、新規層より変化の度合いは小さかった。右派を自認するベテランは、デモに参加しても、生き方が変化したという度合いは、他のイデオロギー的な立場をとる人に比べて低い。イデオロギー的な立場がはっきりしている人の場合、自らの生き方を問い直すような揺らぎは生じにくいのである。その一方で、人間関係上の変化は、同じ右派であっても新規層よりベテランの方が大きな変化を経験している。右派のベテランは、デモに何度も参加する人が多い。強い信念を持った右派であっても、繰り返しデモに参加するうちに——政治的信念は変わらないとしても——周囲の人との距離が生じることがあるのだろう。

図7－5　反安保法制デモでの役割による違い

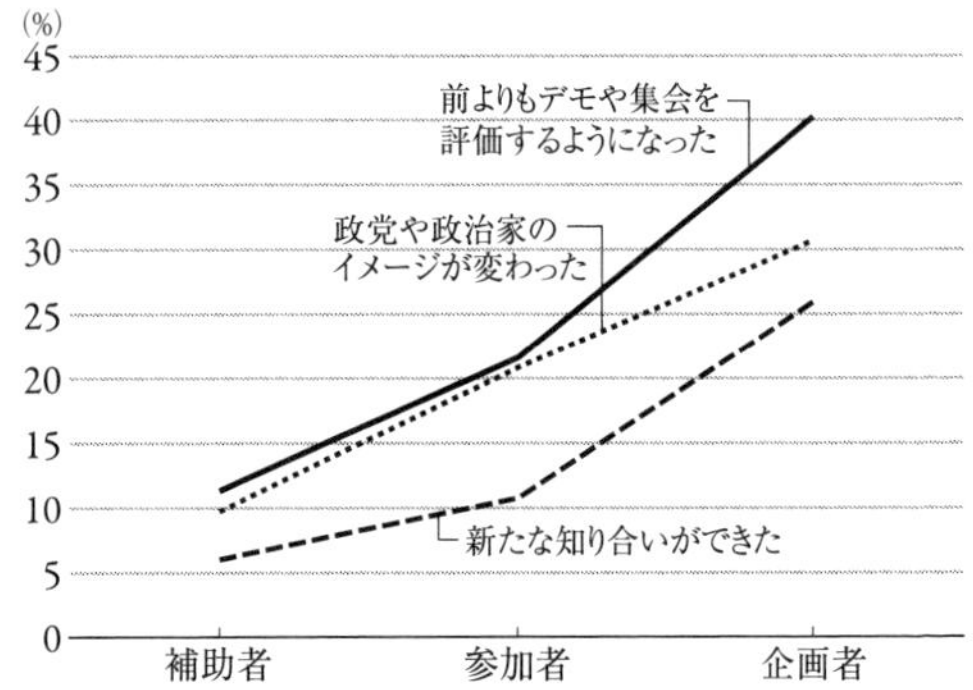

注：新たな知り合い＝新たな知り合いができた、政党イメージ＝政党や政治家のイメージが変わった、デモ評価＝前よりもデモや集会を評価するようになった。

②運動への関わりによる変化の違い

これまでのデモ参加経験と同様、三・一一後のデモ（運動）の中でどのような役割を果たしたのかも、参加による変化と関係がある。ここでは、運動への関わり方の程度によって、「企画者」「参加者」「補助者」と分けておこう。[5] 単にデモに参加しただけの人と比べると、企画者はデモや集会を手伝うなど強い関わりを持つ。補助者は、デモに参加することはなく、デモの情報を拡散するといった程度の関わり方である。この三者が、変化に関して「あてはまる」と答えた比率は図7－5のようになった。[6]

図中の三本のグラフがすべて右肩上がりになっているのは、運動への関与が強まれば運動経験による変化も大きくなるという、常識的な結果を表しているにすぎない。しかし、「新たな知り合い」と「デモ評価」の二つの項目に着目すると、参加者と企画者のあいだでグラフの傾斜が急になる（差が大きい）ことに注意したい。それに対して「政党イメージ」を表すグラフでは、補助者から企画者までの傾斜が、運動への参加の度合いに比例している。つまり、政党や政治家に対するイメージの変化と比べて、他の二つの項目では、補助者・参加者と企画者とのあいだで落差があったのである。

これは何を意味するのだろうか。デモに参加した程度では、運動によって新たな人間関係ができるとか、運動そのものの評価が変わるといったことは、あまり生じない。実際、新たな知り合いができたと答えた比率は、補助者で六%、参加者でも一一%にとどまるのに対し、企画者では二六%にのぼっていた。運動への関わり方が強まれば意識が変わるのも当然のように思えるが、運動経験が失望に終わる可能性もないとはいえない。ところが私たちの調査では、企画者になると、前向きな回答が格段に増える。このことは、企画者にとって一連の経験が肯定的なものであったことを物語る。

4　保守―リベラルの相違

三・一一後の反原発運動や反安保法制運動は、一般に「左派リベラル」による運動だったと言われる。しかし、参加者のうち一九%は「保守」、三四%は「中間」で、「リベラル」は四七%だった。過半数が保守派・中間派だったのである。右派については前節で瞥見したが、政治的なイデオロギーによって、運動経験に対する評価の違いは生じるのだろうか。参加者の政治的な立場と、自らの変化がどう関連するかについて、デモの参加経験との関連がとくに明確であった四項

図7－6　政治的立場による違い

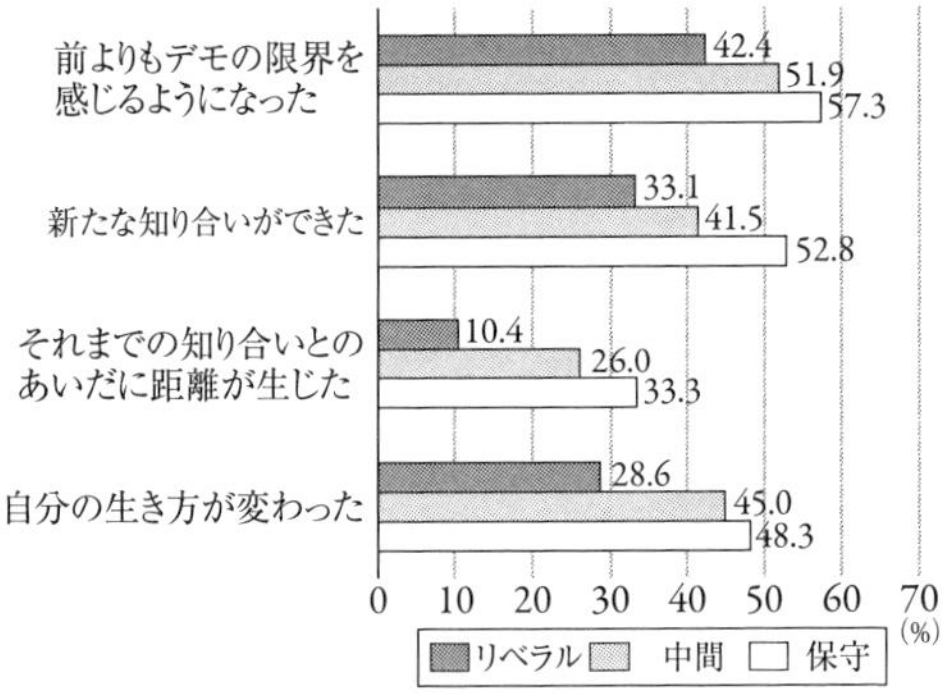

注：数値は、「あてはまる」「どちらかといえばあてはまる」を足した割合。ここでは、左派―右派よりも関連が明確であった保守―リベラルへの回答を用いている。

目に絞って示したのが図7－6である。

この結果をみると、どの項目においても、保守を自認する人の方が大きく変化している。デモへの参加によってより大きく変わったのは、参加者の中で多数を占め、これまで運動の典型的な参加者とみなされてきたリベラル派ではなく、デモにおいては少数派で、今まであまり注目されてこなかった、保守派の参加者だったのである。

もちろん、リベラル派の参加者たちが「変わらなかった」ことにも一定の意味はある。このような人々が、自らの政治的信念に基づいて社会運動に参加し、その経験を通じて、それまでの政治・社会観や人間関係がより強固なものになったということはあっただろう。運動への参加によって、自らの価値観や人間関係が大きく揺らぐようなことは少なかったはずである。ただし、こうしたタイプの参加者の中には、三・一一後の運動に参加したことでデモのあり方が多様化したのを感じ取り、それを肯定的に受け止めている人もいた。

デモの参加者が多様になった。子どもを連れた家族、年齢層など。（六〇代女性）

この女性の場合、震災以前から、反原発デモ、反安保デモの双方に複数回参加している。そうしたベテランが、「デモや集会を評価」についてのみ、「どちらかといえばあてはまる」と回答したのは、新規層の参入を歓迎してのことだった。

一方、デモに参加したことで「デモの限界」を感じたリベラルな参加者からは、三・一一後の運動のあり方について、次のような批判が出てくる。

六〇年安保のデモに参加、又はその時代に活動的だった年代の人達が活動の中心にいるように思った。そして、当時の反米意識や反体制の意識が今も根強く残っていて、現在の社会運動の思想の根幹にあるように思える。社会を動かそうというパワーは尊敬できるが、思想的には偏りと時代錯誤を感じる。（四〇代男性）

また保守を自認しながらも社会運動に参加した人たちの場合、その経験を通じて、政治や社会、運動に対する考え方だけでなく、これまでの人間関係や「生き方」をも問い直すことになったのではないだろうか。こうした人たちの中にも「デモの限界」を指摘する人がいたが、うがった見方をすれば、それは一種の防衛機制なのかもしれない。保守派の参加者が、社会運動を多面的にとらえていることは、次に示す例からも見てとれよう。

マスコミが好むように、社会運動の現象面だけで、人びとの想いを評価することは間違いだと思う。それぞれの個人が別々の想いを表現することが、マクロな視点では社会運動になってくるのだと思います。（五〇代男性）

社会運動よりも選挙で政治を変えなければならないと思う。（六〇代男性）

五〇代の男性は、反原発運動や反安保法制運動を一括りにとらえることに批判的で、運動に参加する「それぞれの個人」の「別々の想い」に目を向け、その集積こそが社会運動をかたちづくると強調している。こうした見方は、三・一一後の運動を「個人化の時代の社会運動」ととらえる運動観と重なってくる。そして六〇代の男性もデモに参加しているのだが、政治変革の手段としては、「社会運動」よりも「選挙」の方を重視している。

保守的な参加者の社会運動観は、リベラルな参加者のそれと比べて揺らぐことが多い。だが、上述の五〇代男性が述べたように、「それぞれの個人」の「別々の想い」を表現していくことで、社会運動と政治の新たなかたちが生まれてくるかもしれない。デモに参加することで、保守を自認する人に生じた変化の意味を、保守―リベラルという従来の図式で回収したりせず、社会運動の新たな可能性と結びつけて考えるべきであろう。

5　おわりに

三・一一後のデモ参加によって、人びとは予想以上に変わった。私たちの調査でたずねた一〇項目については、項目によって差はあるが、二割から六割くらいの人がある程度以上の変化があったと認めている。このことは、三・一一後の社会運動を検証する時に、「なぜ、あのような運動が生じたのか」「誰がどのようにして運動に参加したのか」だけでなく、「大規模な運動は、人々をどのように変えたのか」も問う必要のあることを示している。

ただし、これまで示してきたように、参加者のタイプによって、その変わり方には違いがある。図7－7（次ページ）は、重回帰分析という手法を用いて、「新規層」「ベテラン」「若年」「保守」それぞれにおいて、社会運動に参加することで、どのような変化が生じたかを整理したものである。

この図から何が見てとれるだろうか。

第一に、若年の参加者の場合、「自分の生き方」が大きく変化すると同時に、「知り合いとのあいだに距離が生じた」と感じていた。第3章で述べたように、若年層は三・一一後の社会運動において、主たる参加者層とはいえない。だからといって、デモに参加することで、二〇―三〇代の人々のアイデンティティや人間関係に変化が生じたことの意味は軽視されるべきではない。

図7－7　年代・デモ参加経験・政治的立場→参加者の変化

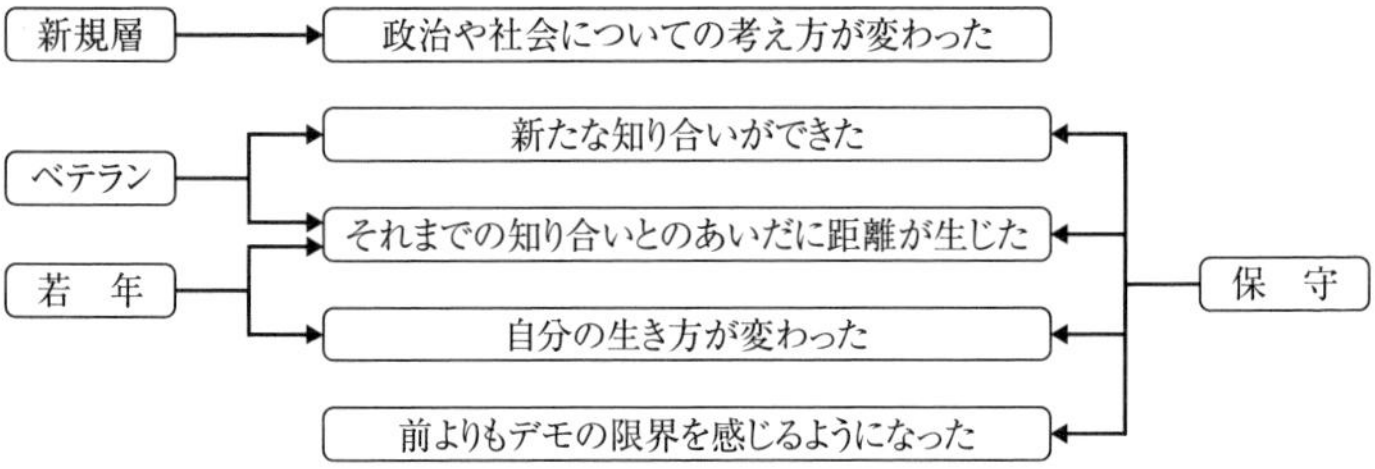

注：重回帰分析の結果を図示。明確な関連のあるもの（β>0.1）を実線で示している。

第二に、デモ参加経験についてみると、新規層では「政治や社会についての考え方」の変化が大きいのに対して、ベテランの参加者では「新たな知り合いができた」「知り合いとのあいだに距離が生じた」という二つの項目での変化が大きかった。これは、それ以前のデモに参加した経験が、今回の参加によって人間関係が変化するうえで、一定以上の影響を与えていたことを示唆していよう。

第三に、政治的な立場からみると、保守派の参加者の変化が大きい。これまで、運動の典型的な参加者とはみなされてこなかったこの層においてこそ、デモ参加が大きな影響を与えたことを示している。

あたりまえのことだが、「三・一一後の社会運動に参加したのはどんな人か」と「三・一一後の運動参加によって変わったのはどんな人か」は別の問題である。年代でいうと、参加者の多くは中高年層であった。だが、運動に参加することで、生き方や人間関係が大きく変わったのは、少数派である若年層であった。政治的立場でみると、参加者のうち多数を占めていたのはリベラル（左派）であった。ところが、運動に参加することで、多くの面で大きく変わったのは、少数派である保守派の参加者であった。

また、運動参加による人々の変化は、自らが参加した運動に対する評価と関連している。人々は、運動に参加することを通じて「自らの物語」を紡ぎだし、それを介して「運動の物語」を紡ぎだす。「情報の真偽や要不要を見極める目が鍛えられ」た（四〇代男性）と、個人としての変化に言及する人もいる。自ら行動したことで、「国民が意思を表明することが日常化したことは社会にいい影響を与えている」（四〇代男性）、「現在や未来の安心のために本当に望むことを伝えるのは良いこと」（四〇代女性）といった実感を持つ人は相当数にのぼっただろう。そのような無数の物語から「三・一一後の社会運動」は作りだされ、いまなおそれは続けられている。その集積が、「デモの遺産」になっていく。前節で紹介した保守派の参加者の、「それぞれの個人」の「別々の思い」が「マクロな視点では社会運動になってくる」というのは、そういうことなのではないか。

三・一一後の社会運動が、現代日本において空前の規模の動員を実現し、それによって政治的（政策的）な効果が生まれた。それだけでなく、多数で無名で異質の「別々の思い」が出会うような、大規模な「公共空間」がそこに出現した。そのことが持つ可能性に、もっと注意を向けるべきではないだろうか。

私たちの調査は、デモに参加することで、参加者たちが「変わった」ことを明らかにした。しかし、そうした「生き方」の変化が、これからの社会運動に、どのように結びついていくのか。

現実には多様な人々からなる社会運動に対し、性急に「一体感」を求めるのは時代錯誤でしかない。ある女性は、自らの運動の経験を通じて、「個人化の時代の社会運動」の特徴について、次のように述べる。

社会運動が、社会参加の一手段になっているような面が強くなったように感じる。運動がかつてのように人生に大きく関わらないままに終わってしまう。個人のあり方が変わり、さまざまな選択が社会運動の中でさえ個人に委ねられていて、個人の自由度が高くなった分、社会運動の一体感は弱まった。（三〇代女性）

彼女は、「社会運動は、その（参加者の：引用者注）生活形態までも変化させるものがあったというイメージ」を持っていた。震災後の社会運動は、一体感が弱く不安定な心もとなさを感じさせるため、「それが良いか悪いかは一概に言えない」という。しかし彼女は、偶然出会ったデモに「凝り固まった狂信的なものを感じなかったので」、自らもそこに加わっている。このような、「凝り固まった」一群の人々というイメージは、社会運動に対する忌避感の背景の一つをなしてきた（第6章）。

三・一一後の社会運動は、この点についてきわめて自覚的だった。従来の研究では、大規模な社会運動が続く「抗議サイクル」の中で、穏健化する運動とラディカル化する運動とに分化するとされてきた。[7]しかし、反原発運動にせよ反安保法制運動にせよ、そうした結果にはならなかった。これは、デモという抗議方法を選びながらも、警察との衝突には至らないような自主規制が――ともすれば過剰に思えるほど――なされていたことにもよる。日本の現状に鑑みれば、こうした配慮が、反原発運動から反安保法制運動への「歩留り率」の高さに結びついており、デモのない社会からのリハビリに際して必要な戦略だったといえよう。

このような見方は、デモが下火になりつつある現在（二〇二〇年二月）、今後の運動を展望する際に示唆するところが大きい。アメリカでは、一九二〇年代の女性参政権運動以降、女性運動はなくなったものと思われていたが、これは冬の時代にあって一休みしていたにすぎなかった。[8]水面下の活動を続けていた女性たちは、一九六六年に全米女性機構を設立するなど、再び表舞台でウーマンリブ運動を華々しく展開するようになる。

日本でも、過去の社会運動の蓄積のうえに現在のデモが成り立っていることはいうまでもない。この点について道場親信は、一九五〇年代のサークル運動を想起しつつ、次のように述べている。

五五年の時を経た現在、そこ（五〇年代サークル運動：引用者注）にさまざまな芽が萌していることを、我々は改めて発見できるのではないだろうか。この半世紀以上の歳月は決して徒らな時間の経過ではなかったと、私は思う。[9]

三・一一後の社会運動においても、今後の遺産となるものが随所にあることを、本書ではみてきた。上述の三〇代女性は、「歴史を学んで、普通に考えれば、自分が大きな潮流の中にいるとわかる。その中で、何か行動を起こしたかったたし、起こすべきだと思った」という。しかし彼女は、実際にデモが起きるまではどのように行動を起こせばいいのか、わからなかったのではないか。彼女のような人たちが、社会的危機に際して可視化したデモに引き寄せられた。

そこには、デモから鮮烈なインパクトを受けた若者や保守派のような、多数派からすれば異質な人々も含まれていた。自らの思いからデモに馳せ参じたおひとり様や、ひとたびデモに参加すると男性以上に能動的に関わっていった女性たちのことも忘れてはならない。彼ら彼女らは日常に回帰するが、参加経験は以下のような遺産を生み出した。

長い長い道のりだけれど続ける！！！！！（六〇代女性）

明日はわが身の社会的トラブルに関して必要不可欠な、自分で考える姿勢が身についたと思う。（四〇代女性）

六〇代女性は、デモに参加した後も被災地支援に関わりつつ、自然エネルギーにも関心を持っている。「長い道のりだけど続ける」実践においてネットワークを作り出すことによって、将来の抗議活動の芽が育まれていく。[10] 四〇代女性がいう「自分で考える姿勢」は、社会運動に直接結びつくわけではないが、理不尽なことには物申すような生き方の変化を示している。その意味で三・一一後の社会運動は、日常生活の中でも異議申し立てができるような土壌を広げたのだといえるだろう。もしかすると、これが一連の運動の最大の成果なのかもしれない。

1——Fillieule, Olivier. 2012. "The Independent Psychological Effects of Participation in Demonstrations," *Mobilization* 17(3): 235-248.

2——*Ibid.*, 243.

3——Marwell, Gerald, Michael T. Aiken and N. J. Demerath Ⅲ. 1987. "The Persistence of Political Attitudes Among 1960s Civil Rights Activists," *Public Opinion Quarterly* 51(3): 359-375.

4——山本英弘「社会運動は怖いのか？——社会運動に対する態度を捉えるための試論」『山形大学紀要（社会科学）』四七巻一号、二〇一六年。

5——佐藤圭一ほか「3・11後の運動参加——反・脱原発運動と反安保法制運動への参加を中心に」『徳島大学社会科学研究』三二号、二〇一八年。

6——傾向がより明確な反安保法制運動についてのみ図示した。

7——Tarrow, Sidney. 1989. *Democracy and Disorder: Protest and Politics in Italy, 1965-1975*, Oxford: Clarendon Press.

8——Taylor, Verta. 1989. "Social Movement Continuity: The Women's Movement in Abeyance," *American Sociological Review* 54(5): 761-775.

9——道場親信『下丸子文化集団とその時代——一九五〇年代サークル文化運動の光芒』みすず書房、二〇一六年、二六九頁。

10——Melucci, Alberto.1996. *Challenging Codes: Collective Action in the Information Age*, Cambridge: Cambridge University Press.

補遺

調査と分析で用いる変数について

1　調査の概要

本書で用いた調査データは、二〇一七年一二月に実施したインターネット調査「市民の政治参加に関するアンケート」（調査対象者向けの名称）をもとにしている。調査はサーベイリサーチセンターに委託し、提携する「楽天リサーチ」モニターを調査対象とした。対象者の属性は、一都三県（東京都、埼玉県、千葉県、神奈川県）に居住する二〇歳から七九歳までの男女（年齢は調査時点）である。本書が対象とする二つの運動において、その中心となった国会前・首相官邸前での抗議行動に参加しやすい地域圏を想定し、一都三県とした。

全体としては少数である運動参加者の分析を行ううえでも、通常の世論調査とは異なり、大規模なサンプルを得ることが必要とされた。人口構成（性別・年齢）比から乖離しすぎない範囲でのデータ回収を試みた結果、約二週間で回収数は八万三七三二となった。

このように、インターネット調査は大規模サンプルを短期間で回収できる利点がある。しかし、他方では回答の信頼性が低いという欠点をもつ。[1] 私たちの調査でも、いくつかの基準にもとづいて信頼性の低いケースを除外し、七七〇八四を有効回答数とした。六六四八の回答が除外されたことになる。

また、本書の分析では用いていないが、インターネット調査の欠点を補うべく、ほぼ同一の質問項目による郵送調査（有効回答数一一五〇八）を並行して行っている。両調査の比較によって、インターネット調査の偏りが明らかになっている。本書の分析結果をみる場合には、こうした偏りをふまえる必要がある。

（1）三〇〜五〇代が多く、二〇代と七〇代が実際の構成比よりもかなり低い。

（2）高学歴層（短大卒・大卒）が多い。

（3）正社員、ホワイトカラーが多い。

（4）（六〇歳以上の）元職は管理職、専門職が非常に多い。

この調査について、より詳しくは、報告書の性格をもつ筆者らの論文を参照されたい。[2] なお、この論文および調査票はウェブ上で公開している。[3]

本書が対象とする運動参加者は、社会全体からするとほんの少数の人々である。したがって、通常の世論調査ではほとんど捕捉できないし、複雑な分析に耐えうるほどのケース数を得るのは、予算的な制約から不可能に近い。[4] その点、インターネットモニターによる調査は、特定の少数者を比較的大きな規模で捕捉することが可能である。こうした調査技術の発展により、本書のようなテーマにもとづく調査研究も可能となった。

なお、このメリットを生かし、同じく少数者である「ネット右翼」についても、この調査データをもとに研究を行った。[5] この調査データは他にも、たとえば男性非正規雇用者や若い共産党支持者というような少数者の分析を可能とする。こうした利用価値の高さをふまえ、今後、データアーカイブへの寄贈を予定している。

2 変数

本書で用いている変数について説明する。

◎**「右派―左派」「保守―リベラル」**…………第2章～第7章

「次にあげる政治に関する意見について、あなたはどう思いますか」との質問を示したうえで、「政治的に「右」か「左」かと聞かれれば、私の立場は「左」だ」「保守かリベラルかと聞かれれば、私の立場は保守だ」に「そう思う」から「そう思わない」までの五択で答えてもらった。これを回答者の政治的立場を表すものとして用いている。

◎**「市民の政治的影響力への不信」**…………第6章

「次にあげる政治に関する意見について、あなたはどう思いますか」との質問を示したうえで、「自分のようなふつうの市民には、政府のすることを左右する力はない」に「そう思う」から「そう思わない」までの五択で答えてもらった。これを「市民の政治的影響力への不信」としている。

◎「デモへの不安」……………第6章

「次にあげる政治に関する意見について、あなたはどう思いますか。それぞれについて、あなたの意見にもっとも近いものをお選びください」との質問を示したうえで、「デモ活動には、何かしら怖いイメージがある」に「そう思う」から「そう思わない」までの五択で答えてもらった。これを「デモへの不安」としている。

◎「政治への信頼」……………第6章

「次にあげる政治に関する意見について、あなたはどう思いますか」との質問を示したうえで尋ねた「国民の意見や希望は、国の政治にほとんど反映されていない」と「ほとんどの政治家は、自分の得になることだけを考えて政治にかかわっている」に対する回答をもとに作成した。回答は「そう思う」から「そう思わない」までの五択で与えられており、この二つの回答の平均値を政治への信頼の指標としている。値が大きいほど、政治への信頼が高いことを意味する。

◎「福島とのつながり」……………第6章

「あなたと福島県との関わりについて、あてはまるものすべてをお選びください」という質問への回答をもとに作成した。「自分が福島県出身または住んでいたことがある」、「福島県在住の親戚・友人がいる」、「福島県出身で首都圏在住の友人がいる」、「福島県からの避難者が近所・職場にいる（いた）」のうち一つでも当てはまっていれば「つながりあり」、「該当なし」を選んだ場合は「つながりなし」としている。

◎「被災経験」…………第6章

「東日本大震災・福島原発事故は、あなた自身と日本社会にどのような影響を与えたとお考えですか。それぞれについて、あなたのお考えにもっとも近いものをお選びください」との質問を示した後で提示した、「経済的に苦しくなった」と「日常生活に支障が生じた」に対する回答をもとに作成した。回答は「あてはまる」、「どちらかといえばあてはまる」、「どちらかといえばあてはまらない」、「あてはまらない」の四択で与えられており、この二つの回答の合計を被災経験の指標としている。

次に、本書で用いている変数のうち、やや複雑な加工を施したものについて説明する。

◎震災の「社会的影響」、「個人的影響」…………第2章、第3章

「東日本大震災・福島原発事故は、あなた自身と日本社会にどのような影響を与えたとお考えですか」との質問を示したうえで、「日常生活に支障が生じた」「日本の将来に不安を覚えるようになった」といった複数の項目に、「あてはまる」から「あてはまらない」までの四択で答えてもらった。

これら複数の項目の回答をまとめるにあたって、因子分析という手法を用い、得点化している。「社会的影響」は「政治に対する不信感を強くした」「日本の将来に不安を覚えるようになった」「取り返しのつかない環境破壊が起こった」「経済が悪い方向に向かった」「政治が悪い方向

に向かった」という五項目の回答と強く関連している。

「個人的影響」は「経済的に苦しくなった」「日常生活に支障が生じた」「健康に影響があった」という三項目の回答と強く関連している。

◎（反）ナショナリズム……第1章、第2章

「次にあげる意見について、あなたはどう思いますか」との質問を示したうえで、「日本人であることに誇りを感じる」「国旗・国歌を教育の場で教えるのは当然である」「子どもたちにもっと愛国心や国民の責務について教えるよう、戦後おこなわれてきた教育を見直さなければならない」という三項目に「そう思う」から「そう思わない」までの五択で答えてもらった。

これら複数の項目の回答について、因子分析という手法を用い、まとめて得点化している。

◎（反）経済的自由主義……第1章、第2章

「さまざまなことがらに対して、以下のような見方があります。あなたはAとBどちらの意見に近いですか」との質問を示したうえで、「A 所得をもっと平等にすべき⇔B 個人の努力を促すため、所得格差をもっとつけるべき」「A 生活に困っている人たちに手厚く福祉を提供する社会⇔B 自分のことは自分で面倒をみるよう、個人が責任を持つ社会」「A 競争は、社会の活力や勤勉のもとになる⇔B 競争は、格差を拡大させるなど、問題の方が多い」という三項目に「Aに近い」から「Bに近い」までの四択で答えてもらった。

これら複数の項目の回答について、因子分析という手法を用い、まとめて得点化している。

◎**文化的自由主義**…………第1章、第2章
「次にあげる意見について、あなたはどう思いますか」との質問を示したうえで、「結婚しても、必ずしも子どもを持つ必要はない」「同性どうしが、愛し合ってもよい」「男女が結婚しても、名字をどちらかに合わせる必要はなく、別々の名字のままでよい」という三項目に「そう思う」から「そう思わない」までの五択で答えてもらった。

　これら複数の項目の回答について、因子分析という手法を用い、まとめて得点化している。
◎**（反）権威主義**…………第1章、第2章、第4章
「次にあげる意見について、あなたはどう思いますか」との質問を示したうえで、「権威ある人々にはつねに敬意を払わなければならない」「伝統や慣習にしたがったやり方に疑問を持つ人は、結局は問題をひきおこすことになる」「この複雑な世の中で何をなすべきか知る一番よい方法は、指導者や専門家に頼ることである」という三項目に「そう思う」から「そう思わない」までの五択で答えてもらった。

　これら複数の項目の回答について、因子分析という手法を用い、まとめて得点化している。
◎**環境主義**…………第1章
「さまざまなことがらに対して、以下のような見方があります。あなたはAとBどちらの意見に近いですか」との質問を示したうえで、「A　日本社会は、環境問題に対して神経質になりすぎ⇔B　環境問題についてもっと敏感になる必要がある」「A　経済成長より環境保護の方が大事

⇕B 環境保護より経済成長の方が大事」という二項目に「Aに近い」から「Bに近い」までの四択で答えてもらった。
これら複数の項目の回答について、因子分析という手法を用い、まとめて得点化している。

◎直接民主主義……………第1章、第6章

「次にあげる政治に関する意見について、あなたはどう思いますか」との質問を示したうえで、「国の重要な政策は、できるだけ国民投票によって決めるべきである」「国の重要な政策は、できるだけふつうの市民が自由に意見を述べ、じっくり話し合ったうえで決めるべきである」「一般市民の意見は、エリートや政治家の意見よりも正しいことが多い」という三項目に「そう思う」から「そう思わない」までの五択で答えてもらった。

これら複数の項目の回答について、因子分析という手法を用い、まとめて得点化している。なお、第6章では「直接民主主義への懐疑」と表記している。

3 自由回答について

各章では、回答者が記述式で回答する自由回答項目のデータを積極的に参照している。具体的な質問文は次の通りである。

反原発デモ、もしくは反安保法制デモに一回でも参加したという回答者に対し、次のような質問を行った（回答は任意）。

問：反原発デモ（もしくは反安保法制デモ）について、（1）なぜ参加しようと思われたのか、（2）どのようなきっかけで参加されたのか、できるだけ具体的にご記入ください。

また、全回答者に対し、次のような質問を行った（回答は任意）。

問：東日本大震災以降の社会運動に関して、ご意見やご感想などありましたら、ご自由にご記入ください。

なお、本文中に表記されている回答者の年代はいずれも調査時（二〇一七年一二月）のものである。

1――こうした方法論上の問題については、以下で詳しく検討している（永吉希久子・松谷満・樋口直人「オンライン調査による大標本データ収集――三・一一後のデモ参加をめぐる調査を事例として」『理論と方法』三五巻一号、二〇二〇年）。
2――佐藤圭一・原田峻・永吉希久子・松谷満・樋口直人・大畑裕嗣「3.11後の運動参加――反・脱原発運動と反安保法制運動への参加を中心に」『徳島大学社会科学研究』三二号、二〇一八年。
3――https://researchmap.jp/read0191792/資料公開/
4――私たちの場合では、インターネット調査の委託費用は八〇〇万円強、回答者数が約七分の一の郵送調査の委託費用は一五〇〇〇万円弱であった。
5――樋口直人・永吉希久子・松谷満・倉橋耕平・ファビアン・シェーファー・山口智美『ネット右翼とは何か』青弓社、二〇一九年。

あとがき

編者二人が徳島大学に在職していた二〇〇〇年代、地元の徳島市は、吉野川可動堰建設問題で激動のさなかにあった。当時、私たち二人は、吉野川可動堰建設に反対する住民運動の調査にのめり込んでいた。

私たち二人にとって、研究者が社会運動の記録を残すことの意味を教えてくれたのは、今は亡き姫野雅義さんである。姫野さんは、吉野川可動堰をめぐる住民運動において、絶対的なリーダーだった。そのしなやかな知性に接して、日本社会の成熟を感じさせられたものである。

私たちの調査結果を『再帰的近代の政治社会学――吉野川可動堰問題と民主主義の実験』（ミネルヴァ書房、二〇〇八年）にまとめたとき、運動にとっての教訓をこれほど雄弁に語る本はないと、姫野さんは評価してくださった。運動の渦中にある人にはみえにくい側面を浮かび上がらせているかどうか――。徳島での経験をもとに、こうした基準に照らして自らの研究を評価するようになった。

本書のもととなる調査を実施した直接のきっかけは、二〇一六年に開催された日本社会学会のシンポジウムである。「はじめに」で掲げた問いは、このシンポジウムから育ったようなものであり、学会後に科学研究費への申請を決めて、二週間で書類を作成して提出した。急ごしらえのプロジェクトにもかかわらず運良く採択され、調査を実施した結果が本書である（基盤研究A「危機の時代の社会運動？　誰がなぜ反原発／反安保法制運動に参加するのか」）。

プロジェクトの推進過程では、調査に回答していただいた楽天リサーチのモニターの方々をはじめ、多くの人の助力を得た。調査票の設計と実査の段階では、成元哲氏と平林祐子氏も参加されていた。小熊英二氏には調査計画について話したところ、ボランティアとして研究会に参加し、自らの経験に基づいて調査票に加えるべき項目をご教示いただいた。

調査結果が出てからは、まとめの方向性を考えるために、いろいろと発表の機会をいただいた。二〇一八年一〇月の日本政治学会では、一面識もなかった中野晃一氏に司会とコメンテーターを依頼し、快く引き受けていただいた。中野氏の経験にもとづく意外なコメントは、運動に対して参加者が持つ両義性を理解する上で有益だった。二〇一九年一月には、稲葉奈々子氏の計らいでシンポジウム（上智大学グローバルコンサーン研究所主催）を開催した。小熊氏は当日急病で参加できなかったが、上野千鶴子、松井隆志両氏のコメント、そして参加者からの質問が、いくつかの章の改稿に大いに役立っている。さらに、二〇一九年三月にはチューリッヒ大学、ウィーン大学、ハワイ大学で報告をした。これは、日本の文脈を相対化して伝える際のポイントを理解する上で重要だった。

「はじめに」でも述べたように、調査結果をまとめるにあたって一般書としてまず刊行し、この間の社会運動に関わっていた人に読んでいただきたいと思っていた。筑摩書房の石島裕之氏は、編集者として市民として私たちの方針に賛同してくださり、積極的に企画を進めていただいた。現実問題として、量的なデータの分析を一般書として読めるものにするのは大変なことだったが、石島氏に繰り返しコメントされることで何とか形にできたと思う。こうしてできた本書を手に取っていただいた方が、各章の分析から三・一一後の運動に関して意外な発見をしていただけるならば、これに勝る喜びはない。

二〇二〇年四月

編者

【執筆者紹介】（50音順、編者は奥付を参照）

大畑裕嗣　1958年生まれ。明治大学文学部教授。著書に『現代韓国の市民社会論と社会運動』（成文堂）、『日韓関係史1965-2015　Ⅲ　社会・文化』（分担執筆、東京大学出版会）等。

佐藤圭一　1984年生まれ。フィンランド・ヘルシンキ大学社会科学部博士研究員。著書に『脱原発をめざす市民活動』（共編著、新曜社）、『気候変動政策の社会学』（分担執筆、昭和堂）等。

永吉希久子　1982年生まれ。東京大学社会科学研究所准教授。著書に『移民と日本社会』（中央公論新社）、『日本人は右傾化したのか』（分担執筆、勁草書房）等。

原田峻　1984年生まれ。金城学院大学人間科学部講師。著書に『ロビイングの政治社会学』（有斐閣）、『避難と支援』（共著、新泉社）等。

バーバラ・ホルトス（Barbara Holthus）　ドイツ日本研究所副所長。著書に *Japan Through the Lens of the Tokyo Olympics*（共編著、Routledge）, *Life Course, Happiness and Well-being in Japan*（共編著、Routledge）等。

樋口直人 ひぐち・なおと

一九六九年、神奈川県生まれ。早稲田大学人間科学学術院教授。一橋大学大学院社会学研究科博士課程中退。著書に『嫌韓問題の解き方』（共著、朝日新聞出版、二〇一六年）、『日本型排外主義——在特会・外国人参政権・東アジア地政学』（名古屋大学出版会、二〇一四年）、『社会運動の社会学』（共編著、有斐閣、二〇〇四年）等。

松谷満 まつたに・みつる

一九七四年、福島県生まれ。中京大学現代社会学部准教授。大阪大学大学院人間科学研究科博士後期課程修了。著書に『ネット右翼とは何か』（共著、青弓社、二〇一九年）、『分断社会と若者の今』（分担執筆、大阪大学出版会、二〇一九年）、『終わらない被災の時間』（分担執筆、石風社、二〇一五年）等。

筑摩選書 0191

3・11後《ご》の社会運動《しゃかいうんどう》 8万人《はちまんにん》のデータから分《わ》かったこと

二〇二〇年六月一五日　初版第一刷発行

編著者　樋口直人《ひぐちなおと》
　　　　松谷　満《まつたにみつる》

発行者　喜入冬子

発行所　株式会社筑摩書房
東京都台東区蔵前二-五-三　郵便番号　一一一-八七五五
電話番号　〇三-五六八七-二六〇一（代表）

装幀者　神田昇和

印刷 製本　中央精版印刷株式会社

ISBN978-4-480-01698-0 C0336

筑摩選書
0054

世界正義論

井上達夫

超大国による「正義」の濫用、世界的な規模で広がりゆく貧富の格差……。こうした中にあって「グローバルな正義」の可能性を原理的に追究する政治哲学の書。

筑摩選書
0070

社会心理学講義
〈閉ざされた社会〉と〈開かれた社会〉

小坂井敏晶

社会心理学とはどのような学問なのか。本書では、社会を支える「同一性と変化」の原理を軸にこの学の発想と意義を伝える。人間理解への示唆に満ちた渾身の講義。

筑摩選書
0076

民主主義のつくり方

宇野重規

民主主義への不信が募る現代日本。より身近で使い勝手のよいものへと転換するには何が必要なのか。〈プラグマティズム〉型民主主義に可能性を見出す希望の書！

筑摩選書
0077

北のはやり歌

赤坂憲雄

昭和の歌謡曲はなぜ「北」を歌ったのか。「リンゴの唄」から「津軽海峡・冬景色」「みだれ髪」まで、時代を映す鏡である流行歌に、戦後日本の精神の変遷を探る。

筑摩選書
0078

紅白歌合戦と日本人

太田省一

誰もが認める国民的番組、紅白歌合戦。今なお40%台の視聴率を誇るこの番組の変遷を、興味深い逸話を交えつつ論じ、日本人とは何かを浮き彫りにする渾身作！

筑摩選書 0127

分断社会を終わらせる

「だれもが受益者」という財政戦略

井手英策　古市将人　宮崎雅人

所得・世代・性別・地域間の対立が激化し、分断化が進む現代日本。なぜか？　どうすればいいのか？　「救済」から「必要」へと政治理念の変革を訴える希望の書。

筑摩選書 0130

これからのマルクス経済学入門

松尾 匡　橋本貴彦

マルクスは資本主義経済をどう捉えていたのか？　マルクス経済学の基礎的概念を検討し、「投下労働価値」がその可能性の中心にあることを明確にした画期的な書！

筑摩選書 0133

憲法9条とわれらが日本

未来世代へ手渡す

大澤真幸 編

憲法九条を徹底して考え、戦後日本を鋭く問う。社会学者の編著者が、強靭な思索者たる井上達夫、加藤典洋、中島岳志の諸氏とともに、「これから」を提言する！

筑摩選書 0138

ローティ

連帯と自己超克の思想

冨田恭彦

プラグマティズムの最重要な哲学者リチャード・ローティ。彼の思想を哲学史の中で明快に一から読み解き、後半生の政治的発言にまで繋げて見せる決定版。

筑摩選書 0141

「働く青年」と教養の戦後史

「人生雑誌」と読者のゆくえ

福間良明

経済的な理由で進学を断念し、仕事に就いた若者たち。知的世界への憧れと反発。孤独な彼ら彼女らを支え、結びつけた昭和の「人生雑誌」。その盛衰を描き出す！